# 大人の流儀

a genuine way of life by Ijuin Shizuka

伊集院 静

講談社

# 大人の流儀［目次］

a genuine way of life by Ijuin Shizuka
contents

# 春



# 夏

帯写真◉宮本敏明
挿絵◉福山小夜
装丁◉竹内雄二

# 春

――旅をしなさい。

どこへむかってもいいから旅に出なさい。
世界は君や、あなたが思っているほど退屈な所ではない。

# 大人が人を叱る時の心得

まもなくどこの職場でも、新しい人を迎える。

新入社員、新人、新前さん、お弟子さん、小僧さん、新任教師、見習さん……。呼び方は違っても、ほとんどの人が社会を初めて経験することになる。

彼等を見て、自分たちの何年か前、遠い春を思い出す人は多いだろう。

彼等が、職場の未来をになっているのは事実だ。その成長を期待し、見守ってやるのは経営者、親方、先輩……すべての人の気持ちだろう。

新しい人は新しい人で希望に胸をふくらませていることだろう。

だが彼等はまだ何も知らないし、何もできない。何も知らないということを知らないし、何もできないということも知らないのである。そうなのだが主張はしてくる（主張をしないようでは困るが……）。

　生意気なのもいる。

――何《なん》ってことを言いやがる。私の新人時代はそこまでは言わなかったぞ。

ということもあろう。

その時、ガツンと言うべきか？

パワーハラスメントなる言葉があったりして、言い方にも注意が必要だという。

――あまりガミガミ言って嫌われるのもナ……。イジメと思われてもナ……。

この頃は、さまざまな理由で職場の中で怒る人が少なくなっている。

〝それは断じて違う〟。
・怒りなさい。
・叱りなさい。
・どやしつけなさい。
言い方に気を配ることなどさらさら必要ありません。あなたの言葉で、ダメなものはダメだと言いなさい。

「何をやってるんだ」

「仕事を何だと思ってるんだ」

「そんなこともできんのか」

社会というものは、学校とも、サークルとも、家庭とも……、まるで違う場所であることを教えなさい。それで新人が、

「そんな言い方は……」

「そんな理不尽な……」

と思うなら、それで結構だと、私は考えている。

私は、人が社会を知る、学ぶ上でのいくつかの条件のひとつは、

〝理不尽がまかりとおるのが世の中だ〟

ということを早いうちに身体に叩き込むことだと思っている。

力を持つ者が手の上に白い玉を載せて、

「これは黒だよね？」

と訊く。誰が見ても白い玉を見て、

「はい、それは黒ですね」

と返答しなくてはならぬ時が人生にはいくどとなく訪れる。我慢して応え、それで済むならそうするのが世間でもある。

その時、〝そんな理不尽な……〟などと言ってはいられない。なったものは受け入れて、〝世の中に理不尽はある。これを機にこちらも改革し、たちむかおう〟と、すぐに対処できるかどうかは、その人たちが理不尽を知っていたかが決め手になる。

だから諸君、煙たがられたり、嫌われることを怖れてはいけない。言うべきことをあなたの

言葉で言いなさい。それが新人に必要なことだ。

どやしつけてくれた経営者が、親方が、先輩が、いかに正しいことをしてくれたかは後年になってわかるものだ。

なぜ、叱ることが必要なのか。

それは今の新しい人の大半が、本気で叱られた経験を持たないからである。

なぜ、叱ると身に付くか。

叱られた時は誰も辛いからである。辛いものは心身にこたえるし、よく効くのだ。


大学の野球部の下級生だった時、練習がたるんでくると上級生に呼ばれて、夜中まで正座させられ殴られた。

――こんな理不尽なことを……。

そう思って歯を喰いしばったが、翌日のグラウンドで、まあ下級生全員がきびきび動き回ること。私自身もである。

――人間って哀しい生きものだナ……。

殴られたことをいい経験だと言うつもりはないが、社会に出た時、新入社員同士で辛いナ、とこぼすような折でも、あの時に比べたら、何ということはない、と思ったから妙なものである。

　理不尽と、めくじら立てるのは、一部の若い男と、圧倒的に女性の社員が多いらしい。だから女子社員にはガミガミ言わない上司が多いとも聞く。

　それは違う。今からでも遅くないから、おかしい、と思ったら、あなたの言葉で注意すべきだ。

　若い女の子に〝KY〟という言い方があって、空気が読めない人のことだ、と説明された。

「馬鹿言ってるな。なぜいい年して、女、子供の吸ってる空気を読まにゃならんのだ」

　誰のお蔭で生きてるんだ。人が人を叱るのに、空気を読む必要などさらさらない。

# 不安が新しい出口を見つける

東京はあちこちで桜の花が咲きはじめている。

気の早い連中が都心の堤の桜の下で宴をしていた。こういうのを見ると、

――不景気だというが、まだ大丈夫じゃないか。

と半分安堵し、残る半分は、

――不景気、不景気と言わずに、こんな時こそしっかり遊んだらどうだ。皆が賑やかにすれば少しずつ好転するぞ。

と思ってしまう。


歴史を見ればわかるが、ひとつの国が不況に陥るのは数字ではない。人間がそうさせる。大臣の失言、銀行家の暴言などつまらぬ言葉で大衆は不安を抱き、景気は一気に傾く。

世のお父さんの飲むビールまで節約じゃおかしい。大人の男が仕事の後にやる一杯をケチってはダメだ。それに何でも安いのがいいという発想も愚かだ。物には適正な値段、つまり価値がある。安いものは結果として物の価値をこわすことになる。

花見もそうだが、結婚式も多い。

先日、東京の常宿で部屋からエレベーターに乗り込んだら、ウエディングドレスを着た花嫁が一人きりでいた。ちいさなホテルの狭いエレベーターである。私は会釈して乗り込んだ。古いエレベーターだからすぐに扉が閉まらないし、スピードも遅い。

——これで三度目か、花嫁と二人っきりの密室は……。

この十数年、このホテルを使っていて、このケースはたしか三度目だった。

普段は新郎、家族、もしくは付添いの女性がいる。何かの事情で一人で乗ったのだろう。忘れものでもしたのか。

最初の時もそうだったが、花嫁と二人に、私はどぎまぎしてしまった。

これは作家という職業の習性なのか、私という人間の、人生に対する考えが、そうなのか、よくわからないが、

——今、この状況で……。

と妄想してしまう。

「す、すみません」

花嫁が急に私に声をかけてくる。切羽詰まった声である。

「はあ、何か？」

振りむくと目に涙……。

「助けて……、下さい」

「はあ？」

「お願いです。私を……助けて下さい」

人が窮地にある時、その人に手を差しのべるのは大人の男のつとめである。掟と言ってもいい。

——すみません、私、これからサイン会があるんですが……、と説明しても、

「サイン会と私の一生どちらが大切なのですか」と切り返されたら、そりゃあ、あなたの一生でしょう。

気がつけばエレベーターで地下一階まで花嫁と下りて、ホテルの厨房の中を彼女の手を引いて走っている私……。そして一年後、家族からは、やっぱりそういう男だったと早目に行方不明の捜索を打ち切られ、想像したとおり花婿《むこ》より彼女に問題が多くあって、台湾の高雄の山あたりで見知らぬ男の赤ん坊を背負ってサトウキビ畑に立つ愚かな男……。

こういう話、キリがないからよそう。

でも時々、私は考える。

旅をしていて、いい土地に出逢うと、

――このままここで暮らそうかナ……。

半分冗談で、半分本気で。

「家族は、仕事はどうするんですか」

「そんなこと知ったこっちゃないわい」


恋愛小説を二十年振りに書き、本が書店に並んだ。京都が舞台で、時代は五十年近く前である。ほとんど時代小説だ。連載の時から、これは誰も読まんのじゃないか、と不安を抱いての執筆だったが、それは今もかわらない。三十年近く前にこれを書こうとした時も同じ感情を抱いた。

しかし、この不安というのが大切ではないのか、と今回思った。企業が新製品を出す時は皆そうだろう。不安は新しい出口を見つけてくれる唯一の感情の在り方かも。

と書いて、作家がつべこべ理由を言うようじゃお仕舞いだとも思う。今までのように黙って読みなさい、がいいのか。

# 旅先でしか見えないものがある

若い人から、こう問われることがある。

「何もしたいことがないんです。でもこのままではいけないと思うんです。僕は、私は何をしたらいいのでしょうか？」

その時、私はこう答える。

「旅をしなさい。どこへむかってもいいから旅に出なさい。世界は君や、あなたが思っているほど退屈な所ではない」

すると何人かの若者が反駁《はんばく》するかのように言う。

「旅をして何があるのですか？」

私は相手の目を見て言う。

「何があるかは、旅をしてみればわかるでしょう」

「…………」

若者は黙ってしまう。

例えば今、テレビ番組はクイズや知識（実はまるっきり知識とは違うが）の答えを求め、それが正解、不正解と断定する。

納戸の奥にしまってあった家族の品物でさえ骨董品と称して、その値踏みまでもする。金の価値に換算してしまった瞬間に、親や祖先への夢も何もなくなってしまうのではないか。

世の中は今、すぐに答えを求める。

正しい答えなどどこにもないと、やがてわかるのに、皆が答えを知りたがる。

幕末から明治期にかけて、日本人を初めて目にした欧米の外国人が、総じて語っている日本人の印象は、

〝好奇心が強く、人に対して好意的で、よく笑う人々である〟

というものだ。

この印象は多分に先進国の人々が途上国の人間を見る時に言われるものであるが、私は日本人の印象としては、そう間違っていないと思う。

日本人は受動的で、自ら何事かをしようとすることが歴史的にもなかなかできなかった。だからと言って日本人が劣っていたわけでは決してない。むしろ逆で目的意識をいったん持つと、驚くほどの推進力を持つ人々である。ところが今の日本人には目標、進むべき標《しる》べが見えない。衆もそうであるが、治めるべき役割の政治家もしかりである。

――何がそうさせたか？

戦後、大人たちが隣人、他人、国家のことは真剣に考えようとしなかったからだ。

――自分と、自分の家族が良ければそれでよかったのである。

そんなことはいつまでも続くわけがない。

若い人の特権に、

――未だどこにも所属せず。

ということがある。

青春時代の君たちの目は、すでに私たちが失いつつある視点である。

昔、旅をしていて足を踏み入れた土地を気に入り、

――ここで残る人生を送れないものか……。

と思ったことが何度もあった。

その土地は海外であることが多かったが、そう思った理由が単なる感傷や、甘えではなかった。

今も、多くの若者、大人達が世界のどこかを旅している。その数は私たちが想像しているより遥かに多い。

私はその人達を敬愛する。

人間は本来、旅する生き物ではないのか、と言う人もある。私も己自身のことを考えると、そうではないかと思う。

アフリカの高地で、のちに〝人類〟と称される生き物が誕生し、やがて歩行をはじめ、ユーラシア大陸を越え、ベーリング海峡を渡り、北、南アメリカまで旅をしたことを考えると、人が旅することは本能的なものであり、敬愛されるべきものだろう。

――旅は旅することでしか見えないものが大半である。

これは決して若い人だけへの提案ではなく、大人にも言える。何か機会を見つけて一人で旅発つのもいいのでは。

# 危険に気付く人、気付かない人

旅のすすめを書いたが、旅というものは危険がともなうものだ。

私はこれまで旅に関するエッセイで、簡単に海外旅行に出かけられると考えない方がいいと何度か書いてきた。

今から四年前までの七、八年の間、私は一年の大半を海外で旅をしていた。見ておけるものを体力があるうちに見ておこうと思ったからだ。なぜ体力があるうちにかと言うと、見知らぬ土地で事故や災難に遭遇した時でも体力があれば切り抜けられると思ったし、危険を察知できる鋭敏な神経が残っている時なら何とかなる。

しかし田舎に住む母は、そう思わなかったらしい。

海外に出かける度に、彼女は息子の無事を神社に祈りに行っていた。

帰国をすると、私は成田空港から母に、今、無事に戻ってきたと報告した。

「それはよろしゅうございました」

母は一言だけ言って電話を切る。

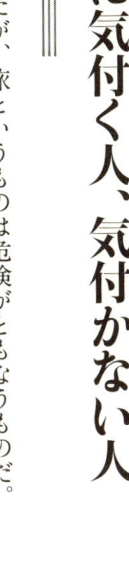

母のそばにいるお手伝いに言わせると、

「これで安眠なさいます」

となる。

ならば海外など へ行かなければいいのだが、私は私で残りの時間でやりたい仕事があり、そのためには自分の目でたしかめたいものがいくつかあった。

エジプトでミイラを見ることも、スペインの巡礼の道を歩くこともそうであり、ポーランドのアウシュビッツを訪ねることもそうだった。

行き帰りに母に連絡をする度に申し訳ない気がしたが、同時にそれが旅の警鐘となっていたのも事実だ。

旅がひと区切りした時、旅日誌なるものを机の上に積んでみた。たいした量だった。

——よく生きていたものだ……。

それが実感だった。

私が海外に出かけると不思議と飛行機事故やテロが勃発した。

そのニュースをテレビで見ると母はすぐに仙台の家人に電話を入れた。

「お母さん、今はスペインですから、その事故は関係ありません」

その度に家人は返答し、危険なことをする人じゃありませんから、と言っていたらしい（ソウデモナインダガ）。

それでもひとつ間違うと生命の危険に晒《さら》されることは何度かあった。

旅というものはそういうものなのだ。

当人がどれだけ注意していても災難の大半はむこうからやってくる。交通事故と同じだ。

スイスの登山鉄道、ユタ州の自動車事故と楽しいはずの海外旅行での悲劇が続いた。

自動車事故の方はまだ原因がはっきりしないが、運転手の過労による運転が取り沙汰されている。同乗者の弁で、何度か車が右に左にゆれるように走ったと言う。

このことが事実だとしたら、なぜ誰かがその場ですぐに運転手に注意しなかったのか、それが私には解せない。

時々、私は遠出の時やゴルフで車を手配されることがある。その折、運転が危険だったり妙に思えると即座に運転手に訊く。

「君、疲れているのかね」

「い、いいえ」

それで運転が直らなければ高速道路であろうが、山の中であろうが、

「君、車を止めなさい」

と言って下車し、タクシーなり別の交通手段を選ぶ。これがもう三、四度あり、口では言わ

ないが、その車を手配した会社とはなるたけ仕事はすまいと決めている。

一人旅より、団体旅行の方が事故が多いのは、旅に危険はつきものだという根本を忘れがちになるからだろう。

よく旅慣れているのでと言う年輩者がいるが、それは団体旅行で慣れているのが大半で、危険が近づいていたことにすら気付かないで来た人がほとんどだ。

昔の人は〝鹿島立《かしまだ》ち〟と言って長い旅に出る前にはわざわざ鹿島神宮の前立《まえだち》に参り、旅の途上の安全を神に守ってもらうようにした。それほど旅に出ると無事に戻ってくる確率が低かったのだ。旅は旅だから、旅の本質は現在でもかわらないはずだ。

私の母に言わせると、長旅より短い急ぎ旅の方が危険だとなる。

「その根拠は何ですか？」

「知りません。でも昔、そう聞きました」

そう言われると根拠がない分、正しいのではないか、と私は思ってしまう。

# 大人の仕事とは、なんぞや

地方への取材、東京での打合せ、小説の執筆が重なり、二週間ほど仙台に戻ることがかなわなかった。

ようやく帰宅すると、なぜか私になついている犬が突進してきて足先を噛む勢いである。

——どこに行ってやがった、この阿呆作家が、早く帰ってこんかい。

「悪い、悪い。ほら噛みたきゃ、噛め」

もう一匹の犬が、私たちの様子をジトーッとした目で見ている。この犬は我が家に早くにきた犬で思慮深いというか、人間のごとき表情をするので、私はあまり近づかない。噛みついてくる方は食べることと腰を振ることしか考えてないので、自分を見ているようで安堵がある。

帰宅した日は夜中までこの犬と過ごす。

夜半、犬と庭に出ると三日月に星がかかり、まことに美しかった。木蓮がこの開花でおそらく終る薄桃色の花びらを風に揺らしている。ハナミズキが薄闇の中に咲いている。花壇の上にクレマチスが固い花弁を開いていていた。家人が丁寧に育ててようやく根付いた。下野草は来週あ

たりに可憐な花を見せるのか。ガサゴソと音がした。犬が草を食べている。腹下しの予防か。以前、アフリカに行った時、夜、象が木の実を食べにキャンプの中に入ってきた。腹、腸のために木の実を食べる。動物の本能というのはたいしたものだ。

庭でぼんやりしていたら、東の空はもう夜が明ける気配だ。そろそろ新聞配達の兄チャンがくる。

新聞の見出しというのは、時代の趨勢《すうせい》（物事の進みむかう様子）がよくわかる。

自民党の青木幹雄前参議院議員会長が健康上の理由で政界を引退する。

一時はたいした権力を持っていた人物であるが、この引退は潔いのか、と思っていたら、朝刊の隅に、後継者が彼の秘書をしている長男と報じられていた。一年前なら新聞の一面であろう。自民党の時代ではなくなった象徴なのだろうが、自民党も世襲をやめると言ってた話はどこに行ったんだ。自民党の島根県連では父親の不出馬が決定した直後から息子が立候補すれば「同じ姓で選挙戦を継続できる」とか「批判より同情票が多い」などという理由で息子の立候補を応援することになったらしい。

——島根県民もナメられたものだ。

世襲ひとつを廃せないのだから自民党は当分復権はできまい。私は政治家の世襲のすべてを否定はしないが、地盤と金を引き継ぐための税の免除や特権はあきらかにペナルティーを必要とするものだ。

これもちいさな記事だが、ＮＴＴ光回線の分離を一年先送りしたのは長過ぎる。ソフトバンクの孫正義社長が早期の結論を求めていた。全国民が光回線を使えるようにするのは初めからの約束だ。これは孫社長が正論だが、私はソフトバンクに関しては興銀の問題の時から企業理念に対して疑問が残っている。これは私だけが抱いている疑問なのか。それとも私の記憶の間違いなのか。


企業は十年、二十年の単位で計るものではない。五十年でようやくと言っても過言ではなかろう。それほど大変な集合体だ。

ただ金を儲けるだけが目的なら企業とは呼べない。企業の素晴らしい点はそこで働く人々の人生も背負っていることだ。当然人々には家族があり、そこには未来が（子供たちのことと考えてもらっていい）かがやいている。それらのものをすべてかかえ、なおかつ企業は社会をゆたかにし、人々に何らかの貢献をしていなくてはならない。若い人たちは給与で企業を判断するが、己の半生を預け、そこで懸命に働くことが人間形成につながるかということこそが肝心なのだ。

私の父は、私が後半生を作家として生きたいと話すと、

――つまらぬことを、独り仕事が……。

と嘆いた。

父は事業をやり遂げ、社員とともに働き、成長することが大人の男の仕事であると信じていた。この頃、つくづく父の考えが正しいと思える。

さまざまなものを背負い、未来を見つめ、現場の戦いを指揮し、荒波を乗り越えねばならぬ経営者は大変だろう。会議は問題点を発見できるが解決法はまず示せない。解決するのは一人ないし、数人だが、やはり一人だろう。孤独だな、社長さんは。

# 人が人を信じるということ

一人の婦人が壇上に立った。

マイクを持つ手、足元も少し震えているように映る。

「生まれて初めて大勢の前で話します。私の息子が高校生の時の話です。当時、息子は下宿から高校に通っておりました。その時の担任がM野先生です。先生はいつも私にこうおっしゃって下さいました。『あの子はいい子だ。お母さん、心配はいりません。信用をしてやって下さい。大丈夫ですから』と。或る時、学校から私に電話があり、今日が期末の試験の日なのに息子さんが学校に来ていないと。私はそんなはずはない、弁当も下宿先に届けていたので、いったい何が起こったのかと、頭の中が真っ白になりました。そんな息子だったのだろうかとすぐに下宿先に行きました。たしかに息子はいませんでした。私が下宿の前に立っているとほどなくM野先生が坂道を自転車を押しながら登ってこられました。先生は『お母さん、たぶんあの子は市の図書館かどこかで勉強をしているのだと思いますよ、そうでなければ友達と受験の準備をしてるに違いない。大丈夫です。信じてやって下さい』そうやって二人で話をしている所

に息子が自転車を押してあらわれました。その時、M野先生が大声で息子の名前を呼ばれました。息子は驚いて、青い顔をしていました。すると先生は息子にむかって『大丈夫か』と訊かれました。息子も頬を打たれたように『はい』と返事をしました。そうしたら先生は『そうか……』とだけおっしゃって学校に戻って行かれたのです。どこに行ってたのだとか、叱るようなことも一言もなく、ただ『大丈夫か』、そして『そうか』であとは息子にすべてをまかされました。あの人生の一瞬で、私は息子は救われたと、今も思っています」

私はこの話を聞いた時、あざやかに一人の先生と母子の姿が浮かんだ。

このような素晴らしい教師に、いや一人の人間に出逢った若者は幸せである。

週末、故郷・山口に帰った。

恩師の三回忌の法要に出席するためである。

今は新山口という名称になった駅、ついこの間まで小郡《おごおり》と呼んだ駅近くのホテルで恩師を偲《しの》んでの会が催された。

七十名余りの出席者が十数名ずつひとつのテーブルを囲んでの宴だった。

テーブルの中央に故人との関りを示す名札が掲げられていた。

教職中の先輩、同輩もあれば、組合活動の仕事での同朋もある。教え子、教え子の親たち。

近所の人という名札もあった。

私の席は「家族」と夫人の達筆な文字があった。

恩師・M野先生は、私にとってまさに家族のごとき人であった。

今から四十五年前の春、私が通っていた高校にM野先生は新任の教師として赴任してこられた。

倫理社会の担当だった。

先生は京都の大学時代の専攻は哲学だが、当時の日本は安保闘争でキャンパスも荒れていた。M野青年は学生運動の急先鋒の闘士だった。警察にも厄介になった。運動に破れた青年は、日本を立て直すには若者の教育だと決心し、教職の道を歩みはじめた。

田舎の進学校に赴任して、すぐに生徒たちは先生の武勇を知ることになる。その高校には体罰を平気で与えるベテラン教師もいた。その教師とやり合った噂はたちまち生徒にひろがった。

最初の授業は、広島に原子爆弾が投下された日の朝の新聞記事だった。

「いいですか、国家は政治家が何かをするのではなく、国民一人一人が正しいことは何かを知ることです。マスコミが正しいと信じてはいけません。マスコミも多くの誤ちをしてきたのです」

M野先生の下宿は、私の生家から近い場所だった。母は、私に先生の酒と酒の肴を持って行かせた。母の計算が違っていたのは、先生が、高校生の私が茶碗酒をしていてもいっこうに咎《とが》める人でなかった所だった。

ひどい建物の下宿だった。その部屋の壁に積まれた本の山を見た時、若者の私は本当に驚いた。

「先生、これを全部読んだのかのう？」

「すべては読んでいません。これから読むんです。人間がいかに愚かで、いかに素晴らしいかを知るのが学問の最初です」

私は先生に〝コスモポリタン（世界市民）〟という言葉を習った。両親が朝鮮半島出身で、生まれ育った日本にさえ居場所を求められなかった若者にとって、世界が差別はおろか肌の色も関係のないひとつの市民だという考えは、衝撃だった。

先生は私のいた野球部の顧問をされ、私が上京する時、野球のボールに〝自己実現〟と書いて下さった。

上京し、身体を壊わし、夢が失せ、彷徨《ほうこう》する日々の中で自分が最後まで望みを捨てなかったのは、両親とM野先生のお蔭である。

M野先生が退職され、癌を患われた。

教え子たち皆がどうすれば先生が元気になられるかを考えた。結果、作家という職業の私が月に一度、先生の所で哲学の授業を受けることになった。五十歳半ばを過ぎてテキストをかかえ、飛行機の中で予習をし、二人っきりの授業で先生に叱られるのは汗を掻く時間だった。

先生の葬儀の夜は雨であったという。私はヨーロッパにいた。

当時を知るタクシーの運転手が言った。

「こんなちいさな町で葬儀の列がずっと絶えなかったのは初めて見ました」

M野先生を送った梅原猛《たけし》の一文に、M野君は学問と芸術を愛する心が甚《はなは》だ深く、教師として誠実な一生を送られた、とある。

何人もの教え子に人間として何が一番大切かを教えてくれた人が日本中にいるのだろう。

# 受験エリートに足りないもの

「今日は私たちにとって屈辱の日です……」

降りしきる雨の中、稲嶺進・名護市長は地元の人々の前で言った。

一人の総理の稚拙とも思われる言動で日本のちいさな町が憤怒にあふれた。

これが総理の住居のある東京での出来事であったらどう報道されただろうか。

「沖縄は日本ではないのか」

地元の人々はそうまで言った。

そう言わせる総理の言動であった。

——物事を推しすすめるのに、これほど人への配慮が足らない大人がいるのか。

しかも一国の総理大臣である。愚かをとおりこしている。

——沖縄の米軍基地問題をどうするのか。民主党の命取りになりかねない……。

そう思って、今朝、原稿を書きはじめると、家の奥から家人の声がした。

「ハトヤマサン、ジニンですよ〜」

――ジニン？　……自刃？　まさか……あっ、辞任のことか。

テレビを点《つ》けると、この総理が隣りに座る菅直人と笑っている。これは何だ？

――こんな時に笑っていられるのか。

小沢一郎は眉ひとつ動かさず前を見つめている。政治責任を問われての辞任なら当然の態度である。

辞任の経緯を語りはじめた。かくも軽い話し方が一国の総理の辞任の弁であるのだろうか。呆《あ》きれた。本当に愚者だったのではないかとさえ思った。

「此《こ》の期《ご》に及んで何を言うか」という表現があるが、大の大人が母親から受け取っていた十億以上の金のことを、まだまったく知らなかったと宣《のたも》うた。

「いい加減にせんか」

テレビにむかって声を出してしまった。

こういう上面《うわつら》だけの言葉を並べて大人が、（しかも総理大臣が）平然と話せる国に日本はいつからなったのだろうか。

自民党のひどい政治が終焉を迎え、国民の期待の下、ようやく新しい政権になり、その党から選ばれたエースがこのざまである。つまり民主党には人材がいなかったということだろう。

数日前まで会談していた中国の温家宝首相、韓国の李明博《イミョンバク》大統領が、この総理と話したことは何だったのか。それ以前にこの人はどういう意志で政治家になったのかと驚いているだろう。

　海外メディアはうんざりとしながら半分冷嘲を浮かべて記事を書くのだろう。

——オバマ大統領に〝トラスト　ミー〟と言った政治家が信じさせてくれる前に職を放り出した。信じられないことだと……。

　こうも書く。

——またまた日本のトップがかわった。次はいつかわるだろうか？

　世界は日本の政治を笑っている。

　しかもいちおう日本は民主主義らしいから国民が笑われている。

　それにしてもどうしてこんなに日本の大人の男はひどい状態になったのだろうか。

　政治家のレベルがすこぶる悪い。いや、史上最悪なのではないか。

　テレビのスイッチを切って思った。

——何も語らず辞めることはできなかったのか。

　これだけ経済が混沌としている中で、鳥の名前を言い間違えて口元をゆるめることができる人間の心情とは何なのだ。

前夜、ＮＨＫの女性キャスターが中国首相・温家宝に単独インタビューをしていたのを見た。

事前に質問事項は提出されているのは当然だが、それでもこの人物は一言一言を慎重に選びながら答え、東シナ海のガス田開発、北朝鮮問題になると決して決定的なことは口にしなかった。

――さすがだナ……。

世界最大の政党である中国共産党の果てしない階段を頂上まで登るという私たちの想像を超えた半生が、その顔にはっきりとあらわれている。命を賭さねばならぬ選択の場面が幾度もあっただろうし、頂点に立てばそこでしか見えないとてつもないものが今もあるのだろう。それを平然と遂行するのが政治家なのだ。

格が違う。一国の首相の格は、その国の力の鏡ではないのか。

町工場の社長が命を賭して働いているというのに、政治家は首をすげかえればすむのか。

温家宝の顔と発言をじっと見た後、違うチャンネルで、東京大学の学生の就職動向がかわったという特集をやっていた。

「官僚は人気ないね。天下りがなくなれば給与も良くないし……」

「外資系の会社がいいね。名前もカッコイイし、合コンでも受けるし……」

学生たちは本気で言っている。

これが若者の現状である。天下りがなくなればと、あるのを前提で就職しようとする姿勢に呆然としてしまった。

親たちは日本の大学のトップに入学させて何かをしたつもりだろうが、せっせと塾に通わせてつまらない安物の若者をこしらえただけのことである。

だから私はエリートというのは大半が贋物だといつも言っているのだ。

一流大学の受験に受かるなんてのは、テレビのクイズ番組で人が読めない漢字を読んで、照れたような作り恥じらい（ホントいやらしいが）をしているタレントの自己満足と同じ程度のことでしかない。

# 豪傑に学んだゴルフの真髄

ゴルフをはじめてもうすぐ四十年になる。こう書くと、たいした年数だと思われようが、途中、働くのに懸命だった時期はゴルフをする時間も金もなかった。

当り前である。若い時から日本でずっとゴルフをしている人がいたら、その人は少しおかしいと思う。学生時代ゴルフ部で、社会人になってもずっとプレーしている人に逢う。たしかにお上手だが、

――おまえ汗水流して働いたことはあるのか?

と思ってしまう。

初めてゴルフを義兄に教わって、古いクラブをもらって練習場に連れて行かれた。

「あの、ボク、左打ちなんですが……」

「社会勉強のために覚えるんだろう。皆が右で打ってんだ。変わったことをするとそれだけで違った目で見られるぞ。第一、左用のクラブは値段が高い。金がない者が贅沢言うな」

今でもボールが真っ直ぐ飛ばない時、――やっぱり左にすりゃよかったかナ。と思うことがある。


サラリーマンになって、初めて会社のコンペに出て前の組でプレーしていた部長の頭の上を私の打ったボールが越えて行った。部長が血相変えて走ってきた。

「おまえはもう打たんでいい」


若い時はよく飛んだが、よく曲がった。

まるで違うフェアウェーに自分のボールを見つけて打とうとすると、そのホールでプレーしていたオジサンが言った。

「隣りから来たんだ、よく飛んだね」

「いいえ、隣りの、また隣りからです」

「…………」


営業ゴルフというのにつき合わされて、先輩サラリーマンがお得意さんの打ったティーショットを見て声を上げた。

「ヨオーッ、大統領！」、次のホールは「玉屋！」、次のホールは「ジャンボもビックリ」、次のホールでお得意が言った。

「君、静かにしてくれないか」

「………」

徹夜でのゴルフ、二日酔いでのゴルフが当り前の頃、翌日プレーする四人で夜明け方まで飲んでコースに出た。

パットの練習場の脇の草叢《くさむら》で全員が吐いて、茶店のトイレの前で全員が並んでいたことがあった。

まだボールが貴重な頃、高級なボールはひとつひとつが紙で包んであった。OBすれすれにティーショットを打った同伴者が、あった、と崖下から大声を出してフェアウェーに打ち返した。見るとそのボールは紙で包んだままだった。

ゴルフブームであちこちにコースが造成された。山岳コースですから、と言われて行ったコースで、グリーン上でパットをしていたら、ウァーッ、助けて、ウァーッと声が上の方でした。見上げると崖の上からゴルファーが羊歯《しだ》や枝を必死でつかみながら斜面を転がり落ちてきた。

ゴルフコースに行ったら、同じ組に顔を見たことのあるコメディアンがいた。

1番ホールで私がグリーンにむかって打ったボールがグリーンエッジあたりに落ちた。少し離れた所から大声がした。

「アワヤノリコ、、、、」

次のホールで私のボールはバンカーに入って目玉になっていた。それを見て彼が言った。

「おや特等席ですね。砂っかぶりだ」

以来、同伴競技者の名前をあらかじめ聞いておくことにした。

作詞家の阿木燿子さんとご一緒して1番ホールのグリーンで阿木さんは2メートル位のパットを10メートル近くオーバーして打たれた。そのパットもまた10メートルくらいオーバーしたのに驚いた。

「もう少しソフトに打ってはどうなの？」

「ダメ！　スカッとしないから」

「…………」

井上陽水さんが休みがてら仙台に見えて、面白そうなのでゴルフをしようと言った。運動神経がとてもいい陽水さんが或るホールでティーショットを空振りし、次がナイスショットでど真ん中、次のショットがグリーンにむかって行きワンバウンドでカップに入った。私はびっくりして、ナイスバーディー、と言ったら、陽水さんが大きくうなずいて言った。

「これがバーディーという奴か」

「…………」

前の組で長嶋茂雄さんがプレーをしていて同伴の初心者の女性プレーヤーが打ったショットが打ち下ろしのフェアウェーをコロコロ転がってとうとうグリーンでプレー中の所にオンしてしまった。

女性プレーヤーが飛び跳ねて喜んでいると、グリーンの上で長嶋さんが両手を上げて、ナイスオンで〜す、と声を出された。

或る年の晩秋、スコットランド北東部のナイルーンというちいさなコースに一人で出かけたら、地元の老プレーヤーと二人してラウンドすることになった。途中、天候が急変し、雨と風が激しくなり、異常な寒さとなった。私は雨合羽を持っていたので、着てはどうかとすすめると、笑っていらないと言う。仕方ないので私もそのままプレーしたが手がかじかんでクラブを持てないほどだった。ラウンドを終えてクラブハウスの洗面所で手を洗うと、普通の水が暖かく感じられた。洗面所を出ると老プレーヤーが笑って右手の親指を立て、左手に持ったスコッチの入ったグラスを差し出した。

「ユウー、グッド、プレー」

そのシングルモルトの美味かったこと。

# 遊びだからこそ、いい加減にしない

南アフリカというのはたいした国である。サッカーのワールドカップ開催にあたり、治安を強化したというのに、平気でホテルに強盗、泥棒が入り、客のパスポート、現金のみならず、テレビクルーの機材一切を盗んで行ったという。

この事件で日本のテレビのレポーターが町を歩く現地の人にインタビューして若い男が答えていた。

「ここは安全だよ。俺、平気で食事に出かけるし、町を歩いてるよ」

——食事に行けない、街を歩けないって、それって、無法地帯だろう。

テレビで少し観戦したが、前日までに見たドイツ、アルゼンチンに比べると日本代表のレベルは相当低く感じた。サッカーをよく知らない私が見ていてもパスがほとんどつながらないし、一対一なら難なく競り負ける状態のチームで、どうして岡田という監督は、

「日本はベスト4が目標です」

なんて公言したのだろうか。

「まあ伊集院さん目標は高い方がいいじゃないっすか」

——君ね、子供に将来の夢を訊いてるんじゃないんだよ。

スポーツの指導者だけでなく、大人の男が掲げる目標というのは、やはり実現可能なレベルのものを口にするのが当り前なのではないか。

——これと同じような発言をどこかで聞いたぞ。どこだったっけ？

あっそうか、環境問題で鳩山元総理が、

「日本は$CO_2$を25％削減します」

と世界中にむかって発言した時だ。

——あの約束、どうするんだ？

自分はさっさと辞めて、残った人たちがそれを実現するために必死になるのか。それとも、あれは前の首相が言ったことだから、私たちは関係ないとでも言い出すのか。そりゃいくら何でもないだろう。こういうことひとつを取っても、大人の男が約束したり、発言することの大きさをまるっきりわかってなかったんじゃないのか。

——日本人は、その場限りで、平気で嘘をつく人たちだ。

こう思われても仕方がない。

ゴルフというのは紳士のスポーツと言うが一歩間違えると、これに夢中になって仕事そっちのけでうつつを抜かしかねないところがある。

その証拠に本場スコットランドではゴルフが誕生してほどなく、ゴルフ禁止令が二度も政府から発令されている。軍の将校たちがゴルフに夢中になり、訓練そっちのけになったからだ。

ゴルフはそういう側面を持っている。自らが規制しないとどうしようもない。

私は誰かとゴルフの約束をした時、どんなに雨が降ろうが風が吹こうが、雪が降っても（こちらはクローズかどうかと前もって訊くが）必ずゴルフコースには行く。

そこで、相手が無理だと言えば中止にする。どんな遠いコースでもだ。

――なぜそんなことをするのか？

いつか私もゴルフをやめる日が来るはずだ。その時、その日が雨だったら、プレーをあきらめてゴルフと惜別するのか。そうしたくない。たとえ雨でもプレーできるホールまでやってクラブを置きたいと思っている。その日の準備と言うと恰好いいが、多少悪いコンディションでもプレーをしようというのが、今の私の考えだ。

ゴルフはパートナーはいるが、始めから終りまで個のスポーツである。

自分がしたいようにやればどうにでもなる面がある。しかし同伴競技者が見ていてだらしなかったり、あわれみを受けるようなことをすべきではない。

同伴競技者のプレーで一番の教えになるものは上手いプレーなどではない。その人のゴルフに対する姿勢である。

1　ベストをつくす。
2　迷惑をかけない。
3　遊びを忘れない。

1に関しては、どんなレベルのゴルファーであれ、その時にできるベストのプレーをする（ベストショットではありません）。DO YOUR BESTです。あきらめて、いい加減なのが一番イケナイ。

2に関しては、アマチュアがグリーンにしゃがみこんでラインなど読むものではない。さっさとプレーする。

3が何より一番大切なことだ。所詮遊びなのだから楽しむことだ。同時に遊びだからいい加減にしないことだ。

# 若さの魅力は打算がないこと

作家の色川武大《たけひろ》さんが立川談志師匠と昵懇《じっこん》で二人が飲んでるそばにいたことがあるが、師匠の若い時の読書量に驚いたことがあった。

「談志の芸は六十歳を越えたらおよぶ者なし」と断言した色川さんも凄い。

色川さんがいれば、今頃、私たちは宇都宮競輪場に〝旅打ち〟（ギャンブルの旅をこう呼ぶ。響きがいいやね）に出かけ、夜は夜で麻雀、ドボンをしていたのに。

「伊集院、この頃、ギャンブルはどうなのよ？」

そう訊かれても、ウ～ンと唸るしかない。仕事が忙しくて、と口にするのもみっともないから、知らん顔をする。

今秋から若い人向けの麻雀小説を書こうと思っているので少し本場《ほんじょう》（実際に打ってる現場のこと。競馬なら場外馬券場でなく競馬場、麻雀なら雀荘なり場の開いた所を本場と言う）に通わねば。

麻雀小説は阿佐田哲也こと色川武大の『麻雀放浪記』につきる。その後は追随する作品はない。

一度、大晦日《おおみそか》に立川競輪場に色川さんと打ちに行きスッテンテンになった。帰りのタクシーの中で御大が言った。

「伊集院君、××の家で麻雀をやってるんだが行ってみませんか?」

「けどあそこは毎回現金で精算でしょう。もうタマがありませんよ」

「ナ〜ニ、最初を負けなきゃいいんだ」

こういう人が書いたギャンブル小説を超える作品を誰が書けるというのだ。書けるはずがない。

「でも書くんでしょう?」

違う。私のは伝説なんかと違って、数人の若者が受験勉強を勝ち抜き、或る若者は田舎の親を上手いこと説得し、上京してきて社会をつくづく眺め、ツマンナイ世の中だとわかり、俺たち麻雀で生きて行こうと突発的に決心し、負け続け、嘆きながら、ビビリながら、それでもやり続けるという話である。

私は、こう考える若者の方が好きなのである。若いということは打算ができない点に魅力がある。大人たちが笑うことでも命懸けで進んでいく方が、人生は案外と充実している気がする。

官僚になれば、おっと今は違うか、外資系の金融会社に入れば人生がアン牌（安全ということです）というのは端《はな》っからおかしいのである。

無謀を笑えるのかね、今の大人は。


「三十数年前、即身仏になると言いまして部屋から出てこないもんですから……」

これに驚いた人が多いが、似た話を私は子供時分に近所で聞いた。

スペインのバルセロナに暮らす私の親友のMの父親もそうだった。

Mの父親の場合は少し事情が違うが、

「やかましい。そんなにごちゃごちゃ言うなら今日から飯は喰わん」

と妻と子に宣言して、その日からまったく食物を口にしなくなった。

バルセロナに仕事に出かけ、Mと二人でケルトの遺跡を取材していた時、この話をされた。

何でも父上は糖尿病で食事制限があり、あれもこれもダメだと言われ続け、或る日逆上したという。

「母親から連絡があって、一ヵ月経つらしい。俺に帰国して説得しろと言われた」

「たいしたオヤジだな。帰るのか？」

「一応な。しかしオヤジがそうしたいならそれでいいんじゃないかと思う」

「…………」

私は返答のしようがなかった。

かくして二ヵ月後にMの父は死んだ。

よくある話なんだろう。

三歳と一歳の子供を部屋に鍵をかけたまま放っておいた若い母親の事件を、マスコミはこぞって書き立てる。風俗で働いていることを罪のように書くが、それは間違っている。

以前、歌舞伎町のビル火災の時の被害者に何人かの従業員と風俗嬢がいた。そこで働いたことがイケナイという論調があった。

風俗で働くことが悪いわけがない。彼女たちも人の子であり、夢があり、何か目的、事情があって働いている。私は健《けな》げだと思う。性の捌《は》け口、孤独の依る所は社会にとって必要だからこうして存在しているのだ。

自分のことを棚に上げて、正義を振りかざす輩《やから》を嘘つきと呼ぶ。

# 夏

――どんな生き方をしても
人間には必ず苦節が一、二度むこうからやってくる。
そんな時、酒は友となる。

# 「ゆとり」が大人をダメにする

月曜日の午前中、少しばかり用事があって東京の事務所に連絡を入れた。何度呼び出しても応答がない。

――皆死に絶えたか？

念のためカレンダーを見ると旗日（祝日）であった。三連休に気付かなかった。もっとも作家という仕事には祝日も、盆も正月もない。ただ書くだけだ。

また三連休か。

――少し休みが多過ぎないか。

不況、不況って騒いでるのなら、

〝私共、休み返上して働きます〟

と世間なり国にむかって宣言する会社や地域があってもいいんじゃないか。

私は週休二日制になったあたりから日本の経済や日本人の労働に対する考えに歪みが出はじめたと思っている。

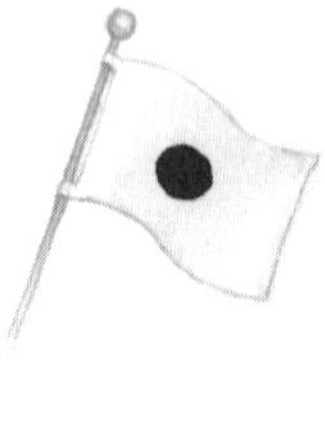

欧米を真似ての失敗例のひとつなのではないか。今の欧米の現状を見るがいい。

〝ゆとり〟なんて言うが大人の男にとって休み時間を長く与えただけで余裕が身につくとはとても思えない。

ゆとりで言うなら〝ゆとり教育〟がそうである。子供が学校に行って教科書一冊を満足に修業できなくて何が教育だ。

国家を見るには教育を見よ。

国家の未来を計りたくば、その国の子供たちの教育を見よ。つまり教科書はその国の物差しでもあった。それが教科書の三分の二程度教えて、あとは時間がない？　馬鹿も休み休みに言いなさい。

明治の文学者、正岡子規は晩年の数年間で日本の俳句大系を独りでまとめ、俳句が文学であることを世に知らしめた。彼がいなければ俳句はいまだもってご隠居さんの遊び事に過ぎなかったかもしれない。

今、子規の小説を執筆している関係で数年前から子規を見つめはじめた時、いくつかのわからない点があった。そのひとつが三十歳そこその若者が明治以前に厖大《ぼうだい》にあった俳句の作品と俳人たちをどうやって整理し、分析、解析し、ひとつの文学大系にいたらしめたかである。しかもすでに子規は病床の身であった。

子規がこしらえた年表、作者ごとの解説の冊子、原稿は枕元に積めば天井に届くほどである。その年表、山と積まれた草稿も写真で見た。人間業とは思えない。

子規は文章、作品を正確に読み解くことも、執筆するのも驚くほど速く、しかも丁寧だった。

——なぜ独力でこの量をなし得たか？

答えの一端を書くと、子規にその能力を与えた教育があった。

子規六歳の折（明治五年）、父が酒の飲み過ぎで他界し、一家は若い妻と子規に三歳の妹が残され、路頭に迷う。この時、若い母、八重は息子の将来のためにしっかりした教育を受けさせることを決意する。幸い八重の父は旧松山藩で一、二と言われた儒学者だった。大原観山という。この父の下に息子を通わせる。子規は勿論、右も左もわからぬ、文章ひとつ読んだことのない少年である。

母は朝四時半に息子を起こす。少年は訳がわからない。眠むい。その少年の鼻先に母は好物の饅頭や餅をかかげ、手を伸ばした子を少しずつ起こし、顔を洗わせ、薄暗い道を手習いのための机板をかかえさせ、家を出す。やがて塾が見えると、そこに門弟を数多《あまた》かかえた観山みずからが夜明けの門前に立って孫を迎えた。

授業は、素読である。漢籍、すなわち漢詩を祖父が読み、孫は文字を目で追い、耳に聞こえたとおり音読をする。内容は勿論、理解できるはずがない。これをくり返すと子規はほどなく孟子の詩を読めるようになった。天才か？　違う。誰だって子供の時、素読をくり返したら読めるようになるし、諳《そらん》じる子供も出る。子供の能力とはそういうものだ。観山が体調を崩した後も彼はしかるべき門弟をつけて素読を続けさせる。

　実はこの時にできた素養こそが少年が成長した後、挑むべき仕事を見つけ出した時の最大の力となったのである。

〝ゆとり教育〟では子規は生まれなかった。

　この教育方針が学校を五日制にし、新学力観を提唱した。中曽根政権である。まったく碌《ろく》なことをしていない上に〝賢人会議〟などと恥を知らぬ者の集まりだった。〝鉄は熱いうちに打て〟と先達は言った。私は真実だと思う。人間の能力は磨く以前に打つことが大切だ。

　以前も書いたが日本の調理人の味が落ちた。週休二日で修業の職人までが休みはじめた。体得するのに何年もかかるものが七日の間に二日も途切れては何も覚えられない。しかし年季が来れば一人前と扱われ、当人までがそう思い込む。

　客は客で、海外のタイヤ屋が選んだ味覚をもてはやし、料理評論家なるパチモン（関西で言う贋物でんな）が賞讃し、田舎者がこぞって押しかける。味もへったくれもない。ここにも欧米を真似た愚行がある。

# 敗れて学ぶこともある

木桶《きおけ》、バケツをひっくり返したような雨というが、仙台でも、その日そんな雨がいきなり降り出した。

数日前、庭の剪定《せんてい》に職人たちがやってきていたから雨は絶好の機会に降り出したことになった。今年は紫陽花が良くないので職人たちは諦めてくれと勢良く次々に咲きかけの花を切り落としやがった。残ったのは木槿《むくげ》だけで、バケツ雨はその花が叩き落されるのではと思うほど強いものだった。点けておいたテレビの画像が歪《いびつ》になるほどだから、あちこちが豪雨に見舞われていたのだろう。

消音のまま点けっ放しのテレビでは高校野球の宮城大会の決勝戦を中継していた。何とも言いようのない試合だった。

仙台育英高校対気仙沼向洋高校である。

バケツ雨で試合は二度中断した。それはしかたないとしても、最終のスコアーが、なんと28対1である。

ここまで点を取って勝つのは、まぎれもなく間違いである。

シード校がこんな試合をして……。いやシード校だからこうなる。今のシード校の選手は大半がスカウトされ越境入学してきた選手である。同県の対戦相手に幼馴染みはいない。いれば、

——もう勝負は決した。あとは対戦相手にもいいゲームにして欲しい。

と願うものだ。それが男のスポーツだ。

それがわからないから今の若い野球選手はどうしようもない。

「まあ伊集院さん、高校生ですから、懸命にやった結果でしょう」

たしかに高校生は半人前だが、大人になる過程の半分は成長している。相手に温情を持つのはスポーツの基本だ。半人前でも基本は学んでいるはずだ。シード校の選手の実力なら野手の正面に打ち返せるはずだ。

翌日、午後からインターネットの高校野球の速報を見ながら仕事をはじめた。

遠く西の、山口大会で私の母校の防府《ほうふ》高校が決勝戦まで勝ち上がり、南陽工業高校と代表をかけて試合に挑んでいた。

去年の秋季大会では山口県で優勝したが、中国大会の一回戦で敗れ、21世紀枠の候補九校に入ったが落選した。

――強いチームなのだ……。

ひそかに期待していたら新聞のスポーツ欄のちいさな試合結果を見ると着実に勝ち進んでいた。そうして決勝まできた。

一分毎にかわる試合経過を見ていた。一回裏に先制点、五回に追加点で2対0で五回を終えた。しかし六回表に2点入れられ同点、九回裏のチャンスを逃がし延長戦になった。十回表に1点を取られ、その裏ランナー一塁で打者の打ったライナーが野手の正面をつきゲームセット。残念だが、よくやった。選手と監督、マネージャー、お疲れさん。

四十数年前の夏、私も山口地方大会のグラウンドにいた。前年の秋季大会の決勝リーグに進出し、早鞆《はやとも》高校に1対0で敗れた。甲子園に手が届くところだった。

――懐かしいナ……。

それにしても一年で休みの日が正月の元旦の一日しかなくとも辛いと思わなかったし、真夏のグラウンドで十時間近く練習しても平気だったのだから驚く。

しかも水を一滴も飲ましてもらえなかった。これが身体に悪いとは、あの頃の指導者が誰一人知らなかったのだ。ぶたれるワ、尻をバットで叩かれるワ、あれはいったい何だったのだろうか。今思えば笑い話だが、当人は真剣だった。

一度練習中に捕手が二塁に投げたボールが投手の隣りに立っていた監督の頭に直撃しもんどり打って倒れたことがあった。

選手があわててマウンドに集まり、気絶している監督の顔を覗《のぞ》き込んだ。

「死んどるんと違うかのう」

「なら嬉しいが、息はしとる」

「すぐに救急車を呼ばんといかんぞ」

「少し待て。せっかくだから休んでもらおう。わしらも休憩できるんじゃやから」

ほどなく監督は目を覚ました。

「大丈夫ですか、監督さん」

「休憩できると言うたのは誰じゃ！」

それから全員でグラウンドを何十周も走らされた。

——あのまま起きなきゃよかったナ。

そう言いながらグラウンドを走っていたのだから甲子園に行けるわけはなかった。

甲子園大会の優勝は一校である。あとの全チーム、選手は敗者である。

スポーツは敗れることで学ぶことが勝者の何倍もある。でも勝った方が嬉しい。

# 大人はなぜ酒を飲むのか

ひどい二日酔いである。

目覚めると靴を片方履いて床に寝ていた。勿論、ズボンのままだ（そりゃ、そうだ。全裸で靴を履いていたら問題だろう。この恰好で深夜どこかをうろついてたんじゃなかろうかと想像しただけで怖い）。

昨夕、N君に原稿の締切りの件で電話を入れると、声のむこうで妙な音がした。

「どこにいるの？」

「地下鉄の駅のプラットホームです」

「あっ悪かった。帰りですか」

「いや、これから少し飲みに行こうと思ってるんですが、六本木に行こうか、銀座に行こうかって考えてたところです」

「一人かね？」

「ええ」

「飯ならつき合えるが、酒はダメなんだ」

「禁酒ですか?」

「まさか。昼間、歯医者に行ったら麻酔をかけられて口の中をガンガンやられた。今夜は酒は止めてくれと言われた。ともかく焼鳥屋で逢いますか」

「わかりました」

銀座のT政に行き、待ってる間も水を飲んでいた。N君が来て、ビール一杯くらいはいいだろうと乾杯した。N君が、今月出版した私の新刊を誉めはじめた(あとから考えると、これが罠だったように思う)。たちまちビールは二、三本。ウイスキーのハイボールからロックに。

二人して店を出た。

——少し飲み過ぎたか……。

歯医者の若先生の顔が浮かんだ。

『いいですか。酒はイケマセンヨ』

「じゃここで。N君、どこへ行くんだ?」

「銀座にします。少し世話になった女性が店を移ったんですよ。まだ数日目で客もついてないだろうから顔を出してやろうと」

「イイネ、一人で? 知った店?」

「ええ一人で、店は初店《はつみせ》ですが」

「大丈夫か。知らない店に一人で」

「大丈夫でしょう」（これも罠だったか）

「でしょう？　いや、それはイカン。銀座なら私がついて行こう」

「でも禁酒でしょう」

「酒を飲まなきゃいい」

「そうですね。でもできるんですか？」

「意志は固い方だ」

「そうでしたか……」

気が付いた時はむかいの席で飲んでいた日馬富士《はるまふじ》に、相撲を取ろうと言いに行くという私が店の人におさえられていた。

次は部屋の天井が回っていた。

懲りないというか、まったく……。

よろよろと起き出しバスルームに行くと左の顔半分がお多福さんみたいに腫れ上がっていた。

『今夜はお酒はイケマセンヨ』

——そうか、こういう意味だったのか。

二日酔いになることは近頃ほとんどなかった。忙しいせいもあるが、酒量が減ったというか、少量で酔うからだ。

それにハシゴ酒をやめた。ハシゴ酒をやめたことは身体にいいのかもしれないが、同時に少し太ってきた。ハシゴ酒をしている時は一晩に何軒も飲み歩いて結構運動になっていた。自慢じゃないが、銀座の路地はすべて知っている。私が犬なら銀座のすべてにマーキングをしたことになる。

それにしてもつい十年前まで、よくあれだけ毎晩飲めたと思う。

毎晩、銀座に出て、日付けかわって、赤坂、六本木にくり出し、夜が明けた頃、渋谷、青山の店を出て家路についた。

青山通りを店のマスターと二人で手をつないで歩いていたら登校の中学生から、あっオカマだ、と大声で言われた。

公園のベンチでも、ビルとビルの間でもよく寝た。墓所で寝ていて坊さんに起こされたこともあった。

酔っ払って歩いていて地下鉄の工事を覗きたくなり、寝そべって覗き込んでいたら、そのまま真逆さまに砂利の上に落ちたこともあった。

――よく生きてたな……。

昔の酒のことを思い出すと、これが実感である。もうひとつの実感は、

――よくあれだけ飲む、時間と金があったものだ……、である。

時間はこしらえていたのだろう。

金はどうしてたのだろう。なんとか払ったことの証拠に、この歳まで働いて、私の貯金は今も0《ゼロ》である。0《ゼロ》じゃないいか。借金があるか。金の話はいい。品がなくなる。

こうして生きていられるんだから。

私は若い人に無理に酒を飲みなさい、とは言わない。体質もあるだろう。自分が二日酔いで苦しんでいる時など、酒のない国に生まれりゃよかった、と思うこともあるくらいだ。

上司や、恩師、仲間と過ごすのに酒が話の潤滑油になるのも本当だろう。

しかしそんなことではない。私が酒を覚えていたことで一番助かったのは、どうしようもない辛苦を味わわなくてはならなかった時、酒で救われたことだ。

眠れない夜もどうにか横になれた。どんな生き方をしても人間には必ず苦節が一、二度むこうからやってくる。それがないのは人生ではない。

人間は強くて、弱い生きものだ。そんな時、酒は友となる。

# あなたが生きているだけで……

週末の日曜日、夕刻から東京・赤坂に出かけた。

九月の夕暮れというのに少し歩くだけで汗が出てくる。

――この暑さは何だ？

気象予報で天気図を説明するが、要するに風が吹かないのである。

風が吹かないから雨も降らない。

〝五《ご》風《ふう》十《じゅう》雨《う》〟の当り前の気候が訪れないから、これほど暑い。

稲田ではとうとう水を入れはじめた。そうしないと稲が全滅する。

〝五風十雨〟はわかりますね。わからないのか？　書けそうで書けない漢字などどうでもいいから、こういう基本の言葉を大人の男は学んでおかないと。これは農作業に適した気候のことを表わす言葉で、五日ごとに風が吹き、十日ごとに雨が降ることで、これが普通の天候だという意味だ。

この天候の順調さを喩《たと》えに、今、天下は太平に治まっているの意味となり、細かいことに憂

いを持たず悠々と生きればいいとの教えになっている。

銀座以外の街はひさしぶりだ。しばらく足を踏み入れてないと街は変わってしまう。赤坂も路地があちこちにあったのだが、それが消えて大きなビルを中心に、ひと昔前、アメリカの小都市で見かけた新開発地区みたいになっている。

この一帯は五十年後はどうなっているのか？　想像するといささか怖い。木造なり、モルタルなり、家主一人の力で建物の様相を変えられるうちは街全体の姿は保つことができるが、高層ビルは古くなるとどうしようもないのではないか。

六本木も同じである。

汗を掻きながら小屋に入る列に並んだ。チケットを切って貰い、席についた。

立川談志をひさしぶりに観に行った。

会場は満杯だ。皆談志のファンである。

声は少ししわがれていたが、前半のジョーク連発の話も相変らず面白いし、後半の落語も良し。病上がりでこれだけならと安心。客は皆、師匠の元気な姿を見ることができただけで嬉しそうだった。

——生きている談志がそこにいる。それでいいのだ。いい連中もまだ日本にいる。

昼間、浅草をぶらついていて、少し時間があったので、目にとまったフリー雀荘に入ってみた。二時間程遊ぼうと狭い階段を上がって店に入ったが、面子割《メンツワレ》（四人が揃わないこと）らしく三十分待ってようやく打てた。

ひさしぶりの麻雀で手に牌がつかない。指先から麻雀牌がこぼれ落ちそうになる。相手は常連客とメンバーと呼ばれる店の雇った打ち手が二人。レートも安く、遊ぶには丁度良かった。

メンバーがそこそこ打てるのはわかるが、その常連客がなかなかだった。年齢は六十五、六か。いやギャンブルを毎日している連中は意外と歳がいっていても若く見える者が多いので七十歳近いかもしれない。

「浅草はよく見えるんですか？」

「ああ時々ね」

メンバーが訊く。こちらの様子をさぐる。

——サツにでも見えるのか。

「どこかで逢ったように思うんですが……」

「似た奴はいくらもいるよ。俺はあんたに逢うのは初めてだ」

こちらの言い方もあったが、それっきり話は途切れた。

一時間余計に遊んで、

「ラスト（このゲームで終了）だ」

と私が言うと、常連客が小声で言う。

「おたく麻雀のビデオに出てるでしょう」

それを聞いてメンバーが目を剝いた。

「お客さん、俳優さん？」

「なわけないだろう。この顔で」

私が言うと常連客が笑った。

「この人は阿佐田哲也の弟子だよ。兄弟子が小島武夫」

「えっ、そうなんですか。じゃ記念に店に色紙を貰えませんか」

「書くわけねぇだろう」

ラストの局はメンバーがトンデ（空を飛ぶんじゃありませんよ）すぐに終った。

煙草をふたつ買い店を出て表通りをロックの方に歩いていると宿無し風の男が私に手を差し出した。煙草をひとつ渡すと、

「頑張れよ。暑さに負けるな」

と言われた。

浅草にはまだ何かが残っている。

# 喧嘩の勝敗は覚悟で決まる

虎が吠えたのか、龍が稲妻を放ったのか、いずれにしても中国の威勢に菅内閣は揺さぶられ、掌中のカードを手放した。

〝正義はこちらにある〟

と相方が主張したのだからどうしようもない。

国と国の言わば喧嘩である。

喧嘩というものはいったんはじまってしまえば力を見せつけた方が勝つ。

国力とは経済力と戦後ずっと盲信してきた日本と、国力は軍事力でもあると信じ、そこに厖大な国の予算、血税を注ぎ込んできた相手とは喧嘩の構え、迫力が違っていた。

喧嘩ははじまったらやめないことである。犬でも、山羊でも、猿でもいったん背中を見せたら、そこで勝負は決する。

たとえこちらに非があろうとも喧嘩はやり通せば戦果が手に入る奇妙な側面がある。

喧嘩にはイデオロギーはない。民主主義も共産主義もない。性根だけである。それがわからないようでは喧嘩をする資格はない。

昔、喧嘩のプロ、仲裁のプロに酒席で戯言《ざれごと》を聞いたことがある。

「こちらに九分の非があってもいったんはじめたらビクッともせんことですわ。押しまくったら必ず突破口は見つかりますわ。そういうもんですよ、諍《いさか》いちゅうもんは」

九分の非でもそうらしい。

日本から見ればこの事件は中国に九分の非はあるとし、マスコミもそう報じた。

ところが中国はいったんはじめたらビクッともせず、押しまくった。

まるでこの時を待っていたかのごとく吠えたてた。

勾留延長になった瞬間から、まあ次から次に飛び道具があらわれた。その詳細はご存知だろうから敢えては書かないが。

——ここで冷静に考えてみよう。

あの一連の対抗処置を、立場をかえて日本が断行するとしよう。

たった数日間で、極端に言えば出港しようとする貨物船の荷をストップさせ、国の最高責任者以外は入国させぬと言い放ち……最後は捕えられた員数より多い員数を即刻拘束することができるか。

否である。日本ではできない。

手続きに時間がかかるし、第一滞在している相手の国の人間がどこで何をしてるかをすぐに把握できるはずがない。

中国だからできたのか？

否である。準備していたからできたと考えるべきだろう。

景気が悪くなって、テレビの報道などでも〝安ければ得だ〟という風潮がある。果してそうだろうか。

〝安物買いの銭失い〟という言葉は私は正しいと思っている。物の価格というものは長い時間をかけて定まったものである。そしてその値段を私たちが納得して買うのもやはり長い時間がかかっている。大人になって初めて物の値段は理解できる。

車がただ動けばいいだけのものであれば錆ついてドアも外れているトラックで道を走ればいい。ところが人はそれに乗ることをよしとしない。

なぜか？

普段、懸命に働いている人なら、相応なものを選ぶことができる生活力とプライドがあるからである。見栄とは違うのだ。

車を懸命に生産している人々がいて、彼等が生活できる糧に対して値段が決められているのを承知しているからである。

この頃、主婦はおそろしく廉価な日常品を買い求め、それが家計を救い、得をした感覚になっている。そのためにわざわざ遠い所に買物に出かける。往復の運賃（またはガソリン代）を差し引いても得と言う。では同じものを売っている近所の商店は無視されてもいいのか。そうではなかろう。

町内、同じ地域、知り合いの店で買物することは損得だけで選択してはいけないのではないか。共生ということは大切なものだと私は考える。

一家の食卓で、いくら子供は食べ盛りでも、家長と子供が同等ではおかしいのではないか。家庭の中で妙な平等を教えるから、世の中に出た時、社会までが平等と誤解をしてしまう。懸命に働いて帰ってきた家長の晩酌のビールがいつも発泡酒ではおかしいのではないか。きちんとしたビールを出せ。きちんとしたウィスキーを出せ。

子供の記憶にきちんと植えつけるのだ。

「オヤジ（パパでもいいが）いい酒を美味そうに飲んでるな」

――当り前だ。ワシは働いとるんだ。

つまり物の値段とは正当な労働と同じ価値のものなのだ。

# 大人が結婚式で言うべきこと

結婚式に招待されるというのは喜ばしいことであるが、同時に厄介な場所に行かねばならないという気分がするらしい。

服装はどうするか。祝儀はいくら包むか。もしスピーチでも指名されるようならどうしたらよいか……。めでたい席であるのに頭をかかえる人も多いと聞いた。

招待の打診がまず入ったら、これは断る類いのものではない。ありがとうございますと返答すべきだ（但し、急に出席を望まれた時は断ってよろしい。仕事が優先で、そう返答して怒る人はいない）。

服装は礼服を持たねば、普段のスーツでネクタイ（ネクタイをしない主義の人は必要はない）。まあ身綺麗にしておけばいい。

祝儀は相場があるから招待側の地位、年齢、自分との関係で必要以上は包まない。これが大切だ。よく披露宴の食事、ホテルのフルコースの値段と引出物の値段を合わせて計算するなんてことを言う人がいるが、そんな面倒臭い話があるはずはなく、料理も引出物も相手が勝手に選んだものだから気にすることではない。それで恥をかいたという話は一度も聞いたことがない。近頃の結婚式は見栄が七分で、その見栄にこちらが合わせる必要はさらさらない。

スピーチを依頼されたら、これも断らない。気の利いたスピーチなど言わない方がいい。一番イケナイのは延々と話すスピーチだ。ともかく短いのが肝心。「おめでとう。こんな嬉しいことはありません。おしあわせに」これでよろしい。たとえ内心で『何がおめでとうだ。あんな生娘を貰いやがってこんな口惜しいことはない。地獄に堕ちろ』と思っていても、ただただ笑っておく。

今まで出席した結婚式でいいスピーチだなと思ったのはいずれも作家で、今、売れっ子カメラマンの宮澤正明君の結婚式で北方謙三氏のスピーチが良かった。ウィットに富んでいて、声も大きく、オチもあった。内容ははっきり覚えていないがさすがだった。ともかく短かい言葉で皆が拍手した。その時も他の挨拶が長かった。このように結婚式のスピーチは長いのは野暮だ。

もう一人はギャンブルの神様こと阿佐田哲也さん、本当の顔が文学者の色川武大さんが歌手の井上陽水氏の婚姻後、何年かして身内だけでパーティーをした折のスピーチ。

出席者の全員がメインテーブルに色川さんがいるというので注目していた。

「大丈夫かね。寝ちまうんじゃないの」

「まさか、ここでは寝ないだろう」

「そのまさかの人だからね」

色川さんにはナルコレプシーという厄介な病気があり、突然、所かまわず眠ってしまう病いをかかえていた。

司会のタモリが、まっさきに言った。

「色川さん、おやすみになる前に一言」

会場が湧いて、色川さんがゆっくり立ち上がった。陽水さんが笑いながら心配そうに先生を見ていた。

「私、生まれて初めて結婚式の主賓の挨拶をします。いや結婚式の挨拶がこんなに大変なものだと知りませんでした。昨夜から一睡もできませんで……」

嘘つけ、大爆睡じゃないの、と声がした。

「ではじめます。陽水さんは、頭が良くて、顔がいい、性格が良くて、力持ち、声も、勿論、素晴らしい。奥さまのセリさんは美人で、気立てがよろしい。男の中の男と、女の中の女。……」

そこで色川さんは眉間にシワを寄せてテーブルの花飾りを睨み出した。

「ええ……と、それから……」

言葉をつなごうとしてまた黙り込んだ。

寝ちゃうよ、と誰かの声がした。すると色川さんがぽつりと言った。

「すみません。ヨイショばっかりしたら疲れてしまいました」

粋なことです。結婚式は疲れるものです。

ちなみに私はほとんど結婚式には出席しない。

「えっ、話が違いますよ」

理由は簡単、統計を取ると出席した結婚式の新しい夫婦の内、離婚したカップルの確率が九十パーセントを越えていたからである。

「式に出てもらえませんか」

「私が出ると必ず別れるよ」

「………」

相手はそれ以上言わない。

それがどうした。

# 続・結婚式の怖い話

結婚式での長いスピーチが一番いけないというのは最近言われていることではない。舟橋聖一という作家がいて、昭和20年代の後半は日本一の流行作家だった。この人の短篇に『華燭』（華燭の典なんて結婚式のことを言う）と題された作品があって、一人の男が結婚式でスピーチをはじめる。話が段々長くなり、三十分経ってもまだ話している。一時間経っても終らない。二時間、三時間、式場がパニックになっていく……。発表当時、話題になり、怖い短篇と評された。結婚式の長いスピーチはホラーになってしまうのだ。

亡くなった作家の久世光彦氏と或る芸能人の結婚式に出たことがあった。仲人を置かず立会人がついていた。この立会人が口にチャックがいるほどの有名な話好きの女史だった。スポットライトの当たる中で立会人は新郎新婦の紹介、馴初《なれそ》め、プロポーズに至るまでの話を延々としはじめた。すでに二十分余り時間が過ぎていた。まだ乾杯もしていない。隣りで久世さんが何度か足を組み直していた。

三十分経過したところで、私はあの短篇を思い出した。すると久世さんが通る声で「長いな」と言われた。私たちの席は新郎新婦のすぐ前のテーブルだった。それでもかまうことなく女史は話していた。列席者が女史を凝視していた。その時、ピンスポットの中の女史の顔のそばを白い煙りがゆっくりと流れて行った。煙りの出処を皆が見た。女史が長くなりますのでここらで終りますと言い、照明が明るくなった。久世さんが美味しそうに煙草をくゆらせていた。あとにもさきにもあんな恰好のいい煙草の吸い方は見たことがない。

私は一度だけ仲人をしたことがある。

騎手の武豊君の結婚式だ。当時、人気絶頂の彼があらたまった顔で挨拶に来た。

「ぜひ僕たちの結婚の仲人をして欲しいのですが……」

「そりゃだめだ。もっと適任者がいるだろう。第一、君の仲人をやれば私は馬券が買えなくなる。私が君の騎乗する馬で勝負して（当時、私はバカみたいに馬券を買っていた）、それを見た人が武騎手の仲人だから君が何か情報を入れたのだろうと疑われる。せっかくの君の貴公子たる評判に傷がつく。仲人をすると私は競馬をやめなくてはいけなくなる」

私が言うとスター騎手がニヤリとした。

「いいじゃないですか。この際、馬券を買うのをおやめになって観戦だけにして下さい。ずいぶん楽になりますよ」

武騎手と家人に説得され、引き受ける破目になった。結納、両家の引き合わせ。式の段取り、いやはや疲れた。固い式は抜きにして、仲人が簡単に挨拶し、当人同士に最初にスピーチをしてもらった（何しろ競馬関係者の人間は品がないのが多くてパーティーの席が騒《ざわ》つく）。私が話し、武君が壇上で素晴らしい挨拶をした。隣りで聞いていた家人曰《いわ》く。

「あなたより数段上手い挨拶ですね」

「いや私もそう思うよ（チキショウ）」

仲人、または立会人を依頼されたら、よほどの借りがない限り断りなさい。彼等の結婚記念日がくる度に、どうしているだろうかと心配しなくてはならない。こっちの夫婦のことが心配だと言うのに、大変である。

武君はその日、千人の式の後に身内だけの披露宴をした。招かれた若手の騎手がスピーチで言った。「このところ先輩騎手から結婚式の招待状が届く度に、ああ貧乏になると困ってます」皆笑っていたが当人は真剣だった。その折、車代の話になったら、そばにいた落語家の御大が言った。

「馬で帰りなはれ」

車代は出す方も、受けとる方も野暮である。

この仲人を機会に私は馬券を買うことがほとんどなくなった。どうなったかって？　たしかに週明けが楽になった。それを聞きつけた武君が逢いに来て言った。

「楽になったそうですね」

「それがどうした」

# 墓参りの作法

宮里藍さんがUSLPGAツアーで初優勝した。プレーオフのウィニングパットを入れた瞬間、思わず涙ぐんでいたが、その気持ちよくわかる。'06年に米国ツアーに参戦し、当初、優勝も時間の問題だと言われていたが、想像以上に壁は厚かった。いろいろ悩んだようだが、今年に入ってようやく上位で戦える技術と精神力が備わってきた。

こうなると勝利の女神は予想外に早くやってくるものなのだろう。勝者たちと、あとわずかで勝利を逃がした者の差はほんのわずかでしかない。このわずかが越えられない。妙なものだ。

勝ち味を覚えるという言葉を玄人が、時折、使う。勝つ要領のようなものがあるらしい。相撲などでもよく使うが、将棋、囲碁でも言う。ゴルフでは青木功氏がよくこれを口にする。

音楽の世界でも一度トップセールスの歌を手に入れた歌手が、一度沈んだ後、再起してトップに返り咲くと、やはりトップを知ってる人だからナ、と周囲は言う。面白い。

プロとはそういうものである。

ひとつのリンゴをテーブルに置き、同じ照明、同じカメラでプロとアマチュアがシャッターを押す。プロが撮ったものは歴然と違う。なぜか？　理由はひとつ、プロだからだ（一流のプロカメラマンのことですぞ。この頃、プロの基準が甘いから）。

プロと言えば、作家の黒岩重吾さんは作家の先輩の中でも〝怖い先輩〟としては一、二だった。作品もそうだが、風貌が凜として気安く話などできなかった。編集者でも怒鳴られた経験のある人は多かった。生前、私はなぜか親しくさせて頂いた。九州、小倉の競輪でスッカラカンになり、東京までの電車賃はなし、ようやく大阪に辿り着き、駅から、先生、やられました。飯と酒を少々、と電話すると、この阿呆が、あと二時間で仕事の切りがつく、××で飯を喰っとれ、となる。あとは黒岩さんの馴染みのバーで一杯やっていれば、怖い目がドアを開け、昔話や艶《つや》っぽい話を聞きながらほろ酔う。

或る時、家族思いで有名な黒岩さんに盆、正月の過ごし方を訊いたことがあった。

「馬鹿者、作家に盆も正月もあるか。そん時、働かんでいつ働くんや」

――なんだ、そういうことか。

「盆は恩師、先輩の墓に行け。それを欠かしたらあかん」

今春、私は和歌山に黒岩さんの七回忌に出かけた。墓参が果せていなかった。

退職した古参編集者達と大阪からマイクロバスで黒岩さんの通った旧制宇陀《うだ》中学校を見学し、夜は思い出話に花が咲いた。

翌朝、秀子夫人に挨拶し、法要の後、墓に参った。海の見える美しい墓所だった。線香の匂いをかぎながら黒岩さんのことを思った。妙なもので叱られたこと、躾《しつけ》られたようなことばかりがよみがえる。プロの教えというものは簡潔で無駄がない。

来年、また墓参に行けるかどうかはわからないが、墓のたたずまいと、墓所の風景、寺のありようを記憶に残しておけば、命日の朝、そちらにむかって手を合わせれば、それで充分、墓参を果せる。遠い墓所は、一度、参っておけば、命日の朝のその行為が年々の墓参と同じになる。昔の人はそうしたのだ。

命日の朝と書いた。これは肝心なことである。墓参、もしくは故人に手を合わせるのは昼までに済ませる。午後になれば時間の吉凶が悪くなる。時刻の柄がよくない。これは守った方がいい。夕刻、墓参りに行くのは年寄りや寺の者に見つかると忌を抱かれる。幽霊も出るしね。

一人でふらりと行く時、都内の有名な墓所なら水桶、帚《ほうき》、束子《たわし》などを貸してくれるが、田舎の墓所なら、駅を降りたらまずスーパーの花屋に行き、墓参りの花だ、と言えばいい。高価な花は必要ない。線香も売っている。故人の好みで酒、饅頭を供えるなら、これも安いので結構だ。なぜ、墓前に置いて行くか。それを頼りにしている人、鳥、虫もいるのだ。

墓所を清める。ゴミは必ず墓所の隅に置く場所がある。どのくらい墓前にいるか。線香が二、三本燃えつきる時間でいい。あとは墓所の風情をよく眺め、覚えておくことだ。

寺の墓所なら、いろんな道具を借りて、供養料を置いて行くか、どうか。

基本としては必要ない。墓の持ち主が相応の供養料を寺に払っている。永代供養という訳のわからないのもあるほどだ（供養は坊主が永代にやるのが当り前のことだ）。置いて行きたければ名前をちゃんと書いて、渡す。寺は親族に必ず報告する。いくら包むか。道具の借り代、水の使用量であるから、千円でも三千円でもかまわない。五千円以上包んだら坊主が儲けるだけだ。

ともかく冠婚葬祭に必要以上の金を出すのはみっともない。成金サマ御一名御成《オナリ》〜、とどこかで甲高い声がして太鼓の音まで聞こえそうだ。

墓参りが特別好きではないが、墓の前で吸う煙草はどうしてあんなに美味いのだろうか。線香の香りと煙草の匂い。海風にふたつの煙りがからまったりしてると、煙草をマスターして良かったと思う。

「伊集院さん、煙草は健康に……」

——オイ、ここは墓場だぜ。

# 無所属の時間を大切に

北海道の様似町《さまにちょう》に、墓参に行った。小説の取材で出かけたので、時間をもらって日高から様似の町に足をのばし、後輩の墓にむかった。

十六年前にレース中の事故で亡くなった騎手の岡潤一郎君の供養だ。彼が亡くなってからずっと墓参に行きたかったのだが、かなわなかった。そのことがいつも胸の隅でくすぶっていた。

――後輩の墓参ひとつができなくて何が大人の男だ。たいした仕事をしているわけでもないのに……。

海には霧が出ていた。親子岩が見えて様似の町に入った。待ち合わせた信号に一人の女性が立っていた。潤一郎君の母上である。挨拶に近づくと、もうお母さんは涙ぐんでいらした。

母にとって我が子の死は、昨日のことなのである。

お母さんと次男のお嫁さんとお孫さん、海の見える丘に上がり墓前で手を合わせた。海風が吹き、潮と夏草が匂った。

彼を紹介してくれたのは兄弟子の武豊君だ。弟のように可愛がっていた。岡君は才能のある素晴らしい騎手だった。

或る年の冬、上京した岡君と武君と一緒に食事をし酒を飲んだ。その席で、彼が、「いいものあげようか」と私に囁《ささや》いた。

「何?」「これだよ」それは彼がリンデンリリーでエリザベス女王杯を勝った記念に関係者がこしらえたテレフォンカードだった。

「こんな貴重なものいいよ」「いいんだ。あと少し持ってるから、特別にね」と彼はウィンクした。嬉しかったのだろう。

そのカードは今も私の仕事場に飾ってある。見るたびに、あの夜がよみがえる。

その夜、千歳で飲んだ酒はひさしぶりに美味かった。命日の二月十六日に武豊君は必ず墓参にやってくると聞いた。

――いい兄弟だナ……。

ＪＲＡの大レースで観衆が大騒ぎをする光景を見るたびに、もう少し静かに走らせてはやれないものか、ともしものことを考えてしまう。スタンドの若者も、中年も、女たちもそうしない。皆が騒ぐから自分も声を上げる。それが今の日本人だ。

今回の取材旅行、仙台—千歳間の飛行機は行きも帰りも満杯だった。ほとんどが旅行客で、夏休みのせいか子供連れの家族も多かった。見ていてお父さんは立派だな、とつくづく感心する。

或る時期、夏の間、フランスのパリに滞在することが何年か続いた。

理由はパリが静かだからだ。パリっ子は通常一ヵ月、長い夏休みを取って避暑地に出かける。大半の市民が出かけて人がいない。彼等は子供の時から夏休みはそうやって過ごすものだと習慣になっているからだ。そこで普段とまったく違うものに出逢う。

フランソワーズ・サガンの『悲しみよこんにちは』も〝避暑地の出来事〟がテーマである。ヴィスコンティーの『ベニスに死す』もそうである。

フランス人の大半は個人主義で、我儘で、譲り合う精神が欠如しているどうしようもない連中が多いが、彼等のロングバケーションに対する考えは、私は好きである。

或るパリジェンヌが言った。

「仕事を忘れて、普段の時間とまったく違う時間を過ごすのよ。それがすべて」

何をするか、というのは二の次と言う。

「働きどおしの一年なんて最悪でしょう。一年の内にまったく違う一ヵ月がなければこの世に生まれた意味がないでしょう」

そこまで極端に言わなくてもいいが、彼等、彼女等は子供の時から、そんな時間の使い方に慣れているのだ。

作家の城山三郎氏は、それを〝無所属の時間〟と呼んで、大切にした。〝無所属の時間〟とは書いて字のごとく、その時間がどこにも所属しないことだ。例えば自動車のセールスマンが旅に出て、時間が空いたのでライバル社のセールス振りをのぞいてみる、という行動は、すでにその時間が仕事に所属してしまっている。妻がガーデニングが好きなので花の種でも買いに行くか。これもすでに家庭、夫というものに所属している。一度、どこにも所属しない時間を過ごしてみたまえ。これが案外と難しいことがわかる。初手でやるならホテルの一室でじっと過ごすか、街を理由もなく歩いてみることだ。何かがあるものだ。

作家の吉行淳之介氏は〝煙草屋までの旅〟と語った。大人の男は近所の煙草屋まで、煙草を買いに出かける行動がすでに旅なのだと粋なことを一冊の本にまとめている。家から煙草屋までのひとときでさえ、人は何かにめぐり逢うものである。

それが私たちの生、社会なのだ。

# 「流れ」を読んで生きる

世の中の流れというのは、新聞、テレビを見ていなくとも、自然にむこうから騒ぎの様子を伝えにくるものである。

中国では二千年以上前から、そのことを教訓として伝えている。

〝四面楚歌〟がそれである。

意味を教えてくれって？　そのくらい勉強しなさい。物事の意味を覚えようと思ったら自分で辞書をめくり（パソコンでも、電子辞書でもいいが）、それを書いてみる。書けないから読めないのである（読めてもしようがないのだが……）。

先日、自宅の居間が騒がしいので、仕事場から様子を見に行った。

家人とお手伝いの女性がテレビに映し出された漢字を見て、何って読むの？　とか言って騒いでた。

「こんなもの見るんじゃない」

「ほら、でもこの人、皆読めるんだよ。正解率が一番よ。賢い女の人ね」

画面にアナウンサー出身だかの女が皆から拍手されて、照れたような顔をしてた。

「こういうのは賢いと言わないの。嫌味そのものの女じゃないか。自分をひけらかす人間は最低だろう。馬鹿の気持ちにもなってやるのが大人なの。早く消しなさい」

〝読めそうで読めない漢字〟？　そんなもの放っときゃいいんだ。別に生きるのに支障はないんだから。そんな暇があったら働きなさい。不況なんだから……。

世の中で何か騒ぎが起こったり、大きな流れがかわる時は、その報《しら》せはむこうからやってくると書いたが、これは別に大きな出来事でなくとも、そうである。

『流れを読む』

という言葉がある。

『風を読む』とも言う。

ギャンブルなどで使うことが多いが、この頃は、若者が〝ＫＹ〟とか言って、〝空気が読めない人〟なんて使い方もする。まあそれは若者の狭量な範囲の中で、自分勝手に空気を作って、そこにそぐわない者を言ってるだけである。

ギャンブルでは、この、流れ、風、気配を読むことは大切だ。それをできない者が大負けをしても、なお打ち続けたりして、身を滅ぼす。大局の流れに自分一人が逆らっても、どうしようもない。

天運、地運、人運と言って、風が吹きはじめると、天、地、人の力でも止めようがない。瞬時に呑み込まれる。

それを知るにはどうするか。まず静かにする。そして気配をうかがう。どうも危ない？　と感じたら、その場を離れることだ。

山津波（山が崩れること）の前の獣の静寂がこれだ。あとは大逃げである。こちらは命がかかっているから当り前だ。

獣は本能が鋭敏だから？　違う。人間も獣でしょう（よく自分のこと考えて）。

静かに神経を尖がらせることだ。そうすれば、今、自分は違った方向に歩こうとしている、くらいのことはわかるものだ。

パチンコなんかで、どんどん金を注ぐのは、静かに状況を見つめられないように店がこしらえているからだ。

〝冷静な意見は、最初、皆を驚かせるし、愚かにさえ聞こえる〟と言う。

昭和十八年頃、この戦争は必ず負けます、と言えば、牢獄にぶちこまれた。

サブプライムローンの入った証券を見て、ちょっと待て、これおかしくないか、少し動きに耳を傾けよう、と言う相手に証券マンは、何をもたもたしてるんですか、買った人はどんどん儲けてますよ、と言った。

以前、〝賢人会議〟というのがあったのを覚えておいでか。あの時、賢人と呼ばれるメンバーの顔ぶれを見て、

――これはおかしくないか、愚者の集いではないのか、風が見えない風見鶏だ。

と言える賢人がいなかった。

第一、賢人と呼ばれて、平気で出て行く大人の男がいるか。クイズの女と一緒じゃないか。

# 秋

——企業の価値は資産、資本金、株価などではない。
企業の真の価値は社員である。
人間である。

# 妻と死別した日のこと

「いろいろ事情があるんだろうよ……」

大人はそういう言い方をする。

なぜか？

人間一人が、この世を生き抜いていこうとすると、他人には話せぬ（とても人には言えないという表現でもいいが）事情をかかえるものだ。他人のかかえる事情は、当人以外の人には想像がつかぬものがあると私は考えている。

五十年近く前の晩秋、私と弟は日が暮れそうな時刻まで二人でキャッチボールをしていた。やがてボールが見えにくくなり、それでもキャッチボールを続けたかった私は同じ町内の銭湯のそばの路地に場所を移した。そこは銭湯の高窓から灯りが道に洩《も》れて、明るくなっていた。

二人して路地に行くと、弟が急に立ち止まった。

「どうしたんだ？」

私が訊くと、弟は少しおびえた表情で銭湯の高窓を指さした。

そこに人影がひとつ、蟹のように窓枠に手をかけ、はりついていた。見るとステテコにダボシャツの丸坊主の男が女湯の中を覗き込んでいた。

――痴漢だ。覗き魔だ……。

と思い、男をよく見ると近所でも札つきのゴロで、女湯から洩れる灯りに男の刺青が浮かんでいた。

私も弟も息を呑んだ。なにしろ十歳と六歳の少年である。

私たちは駆け出して家に戻り、台所に飛び込んで母親に告げた。

「大変だ。大変だよ。××湯の高い窓に男がへばりついて女湯を覗いてるよ。ほら△△町の、あのごんたくれだよ」

私は事件の目撃者のように声を上げた。

母は、私と弟の顔をじっと見て言った。

「そう、覗いていたかね。それはよほどせんない事情があって、そうしてるのよ。早く夕飯を食べなさい」

私と弟は口をあんぐりさせて互いの顔を見合わせた。

これが、私が生まれて初めて耳にした、大人の事情であった。

――よほどせんない（切ないでもいい）事情とは何なのだ？

それから二十五年後の秋の夕暮れ。私は病院で前妻を二百日余り看病した後、その日の正午死別していた。家族は号泣し、担当医、看護師たちは沈黙し、若かった私は混乱し、伴侶の死を実感できずにいた。

夕刻、私は彼女の実家に一度戻らなくてはならなくなった。

信濃町の病院の周りにはマスコミがたむろしていた。彼等は私の姿を見つけたが、まだ死も知らないようだった。彼等は私に直接声をかけなかった。それまで何度か私は彼等に声を荒らげていたし、手を上げそうにもなっていた。

私は表通りに出てタクシーを拾おうとした。夕刻で空車がなかなかこなかった。ようやく四谷方面から空車が来た。

私は大声を上げて車をとめた。

その時、私は自分の少し四谷寄りに母と少年がタクシーを待っていたのに気付いた。

タクシーは身体も声も大きな私の前で停車した。二人と視線が合った。

私も急いでいたが、少年の目を見た時に何とはなしに、二人を手招き、

「どうぞ、気付かなかった。すみません」

と頭を下げた。

二人はタクシーに近づき、母親が頭を下げた。そうして学生服にランドセルの少年が丁寧に

帽子を取り私に頭を下げて、
「ありがとうございます」
と目をしばたたかせて言った。
私は救われたような気持ちになった。
今しがた私に礼を言った少年の澄んだ声と瞳にはまぶしい未来があるのだと思った。

あの少年は無事に生きていればすでに大人になっていよう。母親は彼の孫を抱いているかもしれない。

私がこの話を書いたのは、自分が善行をしたことを言いたかったのではない。善行などというものはつまらぬものだ。ましてや当人が敢えてそうしたのなら鼻持ちならないものだ。

あの時、私は何とはなしに母と少年が急いでいたように思ったのだ。そう感じたのだからまずそうだろう。電車の駅はすぐそばにあったのだから……。父親との待ち合わせか、家に待つ人に早く報告しなくてはならぬことがあったのか、その事情はわからない。

あの母子も、私が急いでいた事情を知るよしもない。ただ私の気持ちのどこかに――もう死んでしまった人の用事だ。今さら急いでも仕方あるまい……。

という感情が働いたのかもしれない。

しかしそれも動転していたから正確な感情は思い出せない。

あの時の立場が逆で、私が少年であったら、やつれた男の事情など一生わからぬまま、いや記憶にとめぬ遭遇でしかないのである。それが世間のすれ違いであり、他人の事情だということを私は後になって学んだ。

人はそれぞれ事情をかかえ、平然と生きている。

# 生まれた土地、暮らしている土地

夕刻、原稿を書きはじめたらテレビのニュース番組が耳に入った。

「今朝、東北地方に白鳥が飛来しました。例年より十日早い飛来です」

——えっ、もう冬の渡り鳥が来たのか。

暑くてかなわんナ、と言っていたのは、つい昨日のことじゃないのか。

やはりここは北国なのである。


十五年前の晩秋、私は数日間雀荘で遊んで、明け方に東京・麻布の家に戻った。

ドアを開けた瞬間に思った。

——あれっ何か様子が変だナ。

部屋の中に入ると、いっさいの家具が失せ、マンションの中はガランとしていた。

居間に行くとトランクがひとつぽつんと置いてあり、そばに置き手紙があった。

——とうとう捨てられたか。

そう思ったが、新宿に遊びに出る前に家人が言った言葉を思い出した。

「戻ってこられた頃には引っ越しが終っているかもしれませんから」

書き置きには、仙台の住所と電話番号が記されてあった。床の隅で少し休んで仙台にむかうことにした。

——東京駅か、上野駅か……。

最初に考えたのが駅のことだった。

石川啄木の歌を思い出した。

〝ふるさとの訛《なまり》なつかし停車場の人ごみの中にそを聴きにゆく〟

この短歌は上京した啄木が寂しくなった折、故郷の言葉を聞くことのできる上野駅に行き、国訛りを聞きながら故郷を思い、安堵したということを詠《うた》ってある。

——やはり上野駅だな。タクシーに乗り、運転手に上野と告げた。

「お客さん、旅行ですか」

「いや引っ越しだ」

「ほう手軽ですね」

「まあな」

仙台駅に着いたのは夕刻、駅を降りると木枯しのような風が足元をさらった。

——ずいぶんと寒い土地だな。

タクシーの運転手に住所を告げた。

「アガリヤンシタ」

——どこに上がるというのだ？

三十分過ぎると車は山道に入った。

「運転手さん、×××だよ」

「はい。むかってっから」

彼方の山の頂きには雪が被《かぶ》っていた。

——嘘だろう。

「運転手さん。ここら辺りは冬は雪が多いんだろうね」

「うんだ。う〜んと降るだよ」

「積もるの？」

「うんだ。う〜んと積もるだよ」

私は思わずタメ息をついた。何しろ私が生まれ育った土地は瀬戸内海沿いの温暖な町で、雪とて一年に一度見るか見ないかだった。夏など庭を突き抜ければドボンと海に飛び込めた。

その夜、私は生まれて初めて暖炉のある家の住人になった。

年明け早々、編集者が二人訪ねてきた。年の瀬、雪がかなり降っていた。彼等を家の近くにあったホテルに迎えに行き、タクシーで走っていると言われた。

「伊集院さん、ここは日本ですか」

――オイ、言っていいことと悪いことがあるんじゃねぇのか。

そして十五年が過ぎた。

二〇一〇年秋、私は仙台の地元新聞に小説連載をはじめた。

作家になって初めて指名手配犯が主人公の小説である。友人の仙台在住の作家、伊坂幸太郎さんの作品を読んでいて、面白そうだから私も書いてみよう、と大胆にも書き出したが、早くも心配になってきている。

――まあそのくらいの方が緊張して一生懸命にやるのでよかろう。

仙台はご存知のとおり、伊達政宗、仙台藩六十二万石の城下町であった。そのせいか商いをやるにしても、〝殿様商売〟と呼ばれ、おっとりした気風が今も残っている。

仙台に住んで何か私が影響を受けていることはないかと思うのだが、先日、銀座のクラブに行き、ネエチャンから「伊集院さん、少し疲れてませんか」と訊かれ、

「うんだが」と答えたらしい。

# 命をかけて守るべきもの

今、ハワイのホノルル空港のローカル線のターミナルで、島の夜明け方の空を見上げている。

――どうして、こんな忙しい時に太平洋の真ん中まで来てしまったのだろうか？

以前からの約束でテレビ番組の収録に連れてこられた。

ようやく日本が涼しくなってひと安心した時期に、昼間には三十度を越す暑さになる撮影に来るのはどうかしている。

テレビと言ってもBS放送だ。これがキー局の本放送なら断れたのにまだマイナー（そのうち逆転するかもしれないが）であったのが断り辛かった。

そういう性分につけこまれたのではという気がしないでもないが、ともかく引き受けたのだから懸命にやるしかない。

頭がボーッとしている。それはそうだ。この一ヵ月余り働きっ放しで、この旅の間の原稿書きを楽にしようと踏ん張ってきた。

でもそうはいかなかった。

成田発のＵＡ（ユナイテッド航空）機に乗ってきた。

北京か、上海からの乗り継ぎ便なのだろうか、客の半分以上は中国の人たちであった。

中国語と合間の高笑いが響いた。

ひと昔前なら、アメリカの民間飛行機に中国人が乗って、しかも談笑している光景など想像もつかなかった。

ホノルル行きだから、彼等がビジネスマンではないように思えた。

いや、もしかしてワイキキのマンションや土地を買いに行くのだろうか。

――この光景どこかで見たな……。

と思ったら、バブルの時代の日本人そのままなのに気付いた。

中国人は日本人と同じ間違いをするのだろうか。

――それはあるまい。

「どうしてですか？」

「国家が行き過ぎた投機に歯止めをかけるだろうね」

中国にはそれができるだけの国家権力が存在している。

経済力が国力のすべてとは考えていないし、民主主義を日本のように最良のイデオロギーとは根本的に思っていない。

それにしても国外に出れば飛行機ひとつ乗っても時代の動向がよく見えるものだ。

彼等がアメリカに笑って行くのは、アメリカ人が彼等を喜んで迎えている状況があるからだろう。

こういう光景を見ると、尖閣諸島の問題で、アメリカが諸島周辺を日米安保条約の範疇と言ったことを、まるで言質《げんち》（後日の証拠となる言葉という意味）をとったように発表した日本の政治家や、それを錦の御旗のごとく発言したテレビのコメンテーターが愚者に思えてくる。

範疇と言っただけで、いざあの海域が紛糾した時、アメリカが身体を張って日本を守るとはとても思えない。もうそんな時代ではないのではないか。

カウアイ島に渡る飛行機には若いアメリカ兵が搭乗していた。

屈強な体格。目が違う。

当り前だ。彼等は敵を倒す訓練を日々やっている。敵とは人であり、倒すとは殺害することだ。中国でも、韓国でも、フランスでもスペインでも、兵士の目は皆似ている。こういう目は日本の若者にはない。

彼等を厳しい訓練に耐えさせているのは愛国心である。これに匹敵する強靭な精神というのは古代から見つからない。愛国心の基盤は家族であり、故郷であるからだ。

島での初日、テレビ局の新米プロデューサーから挨拶され、少し話をした。

父上の仕事でアメリカでの生活が長かったらしい。子供時代はオハイオ州だ。

「スゴイ田舎で、子供の時は日本人は弟とボクだけで、大人の人たちと記念写真を撮ることがあったんです。そうしたら一人の老人に、日本人と写真は撮らない、外れなさい、と言われてビックリしました」

「どうして?」

「その老人は若い時に太平洋戦争に行っていたらしいんです」

「そういうことはアメリカでは今もありますよ。戦友が日本兵に撃たれたとかね」

「その時、友だちのお父さんやお母さんがボクは仲間だと言ってくれて無事写真に入ることができました」

「恨みもあるんだろうが愛国心がそう言わせたのかもしれないね。日本人は何ひとつ犠牲になろうとしないと思ってるアメリカ人は多いから」

アメリカの田舎町で、国に忠誠を尽くして生きた老人が日本人に抱いている印象はしごく正常であろう。

# 自分さえよければいい人たち

競馬の菊花賞をテレビ観戦していて思ったのだが、この二十年近く、大逃げをする馬がいなくなった。

菊花賞は３０００メートル。これを逃げ切るのは至難の業だ。昔の競馬ファンの諺《ことわざ》に〝長距離の逃げ馬〟というのがあって、穴党は必ずそういう馬券を持っていた。人の目がむかない所に宝物はある。

相場師が言う処の、〝人の行く裏に道あり、花の山〟というものだ。リスクは大きいがハイリターンというやつである。

菊花賞、有馬記念などの檜舞台で一か八かで逃げを打つ。この走りを〝テレビ駆け〟とも言った。ＮＨＫがシンザンのテレビ中継をはじめ、ほどなくして民放が週末の中継を開始した。

普段、競馬をしない人も大レースはテレビで観るようになった。ここで大逃げを打てば少なくともバテルまではアナウンサーがこの馬の名前を呼んでくれる。馬主もそれでよかった時代がある。ところが近年はそれがない。なぜか？　出走するすべての馬が勝算を計るからである。

これは日本がバブルの時代に、そこら辺りのオバアさんまで、土地さえあれば自分もひと儲けできると信じたのと似ている。信じない人にまでそうさせたのは銀行である。

いつの時代も、金にまつわるよからぬことや常識を逸脱したことが起きると、その背後に銀行がいる。

昔は競馬でも〝銀行レース〟というのがあった。配当は少ないがまず確実に儲かるレースのことだった。今は〝銀行レース〟とでも言おうものなら、危なっかしい象徴になる。

作家の帚木《ははきぎ》蓬生《ほうせい》さんは永年、ギャンブル依存と戦っていらっしゃる。氏は精神科の開業医でもあり、ギャンブルで生活が滅茶苦茶になり、人生も狂った大勢の人を診ている。その著書もある。「ギャンブル依存とたたかう」（新潮選書）、「やめられない　ギャンブル地獄からの生還」（集英社）どちらも実のある良書である。十年近く前、帚木氏の編集担当者と私の担当が同じことがあったので、氏のギャンブル依存症の患者への質問レポートを入手してもらい、自分で質問事項に回答してみた。私は軽症だった。これが妙だった。

今、ギャンブル依存症の患者の最大の種目はパチンコだそうだ。七割近いらしい。

私は仙台では家と駅を主に往復し、街中に出ることは年に一、二度しかない。その往復の時、数軒の郊外にあるパチンコ店の前を車で通る。朝の開店の時、人が並んでいる。

初めは、事件かと、運転手に訊いた。

「ありゃパチンコ屋の開店を待ってるんだ」

「主婦らしきのもいるし、働き盛りもいるじゃないか」

「そういう客が今のパチンコの上客だべ」

知ってはいたが目の前で見ると、亭主は知ってるのか、子供の弁当はこしらえたのか、と心配になるし、男たちには、仕事はどうしたんだ、と訊きたくなる。

私はパチンコそのものを否定するものではないが、遊興は仕事のあとでやることだろう。今、地球上で昼の日中から働き盛りの男女が遊興にうつつをぬかし、三十兆ともいわれる金を注ぎ込んでる国は日本しかない。これをなぜ規制しないのか。子供の教育と言うが、大人が子供状態なのだから、この人たちを教育、規制せねば、大人を見て育つ子供の社会観は何をか言わんである。

パチンコ店側の人間に知人がいなくもないのでこれ以上は書かぬが、パチンコ店側も少しは考えるのが常識ではないのか。

これほどギャンブルに身を置き、借金もある私が言うのもおかしいが、ギャンブルは愉しむのはいいが、本気はやはり困るところがある。

ギャンブルの最大の弱味は、己でしかない点である。

私は若い時、何を思ったのか、当代一の打ち手を目指して、その当時、一、二と呼ばれた車券師とともに過ごした。数ヵ月くっついた挙句言われた。

「何の得もありませんぜ。一から百まで博奕《ばくち》打ちは手前が勝てば、それでいいんです。日本一のギャンブラーってのは日本で三流、五流の一番の馬鹿ってことです。考えてみて下さい。八百屋だって豆腐屋だって懸命にいいものを仕入れたり、こしらえれば喜ぶ人がいるでしょう。あんたのところの白菜、豆腐は美味かった。お蔭でいい夜でした。ギャンブラーはいっさい他人の為には生きません。初めっから死ぬまで自分さえよければいいんですよ。どう考えても最低でしょう。無駄です」

　私が引かれたのは実はその無駄の一点であったが、耐えることができなかった。

ましてや日々の浮き沈みに没頭するギャンブルは無駄を通り越して愚行である。

# 企業の真の財産は社員である

私は仙台から上京すると上野駅で降りる。常宿にしているホテルが近いからだ。

東京駅と上野駅では、妙な話だが乗降車する人も、駅舎に屯《たむ》ろする人もあきらかに違いがある。

まず服装だが、東京駅の方がカラフルである。上野駅が地味とまでは言わないが、金ピカのものを身に付けている人はまずいない。

次に騒々しさが違う。東京駅は所構わず騒々しいが、上野はそれがない。東京駅は単独でもやかましいのがいるが、上野に単独犯はいない。思うに関西のオバサンが少ないせいかもしれない。

先日、上野駅に着き、約束の時間もあったので改札フロアーを早足で歩いていたら、いきなり声をかけられた。

外国人である。むさ苦しそうな男だった。

周囲に同じ車輛から降りてきた人が二、三十人はいたのに、なぜ私に声をかけたのか。

相手がいきなり大声で、
ＢＡＲＡＧＩ（バラギ）

と言った。

「ＷＡＩＴ《ウエイト》、待て、英語は話せるか？（勿論、英語で言ったのだが）」

すると相手は「ＮＯ！」と激しく首を横に振って言った。

――オイオイ話せるのか、話せないのか。

そうしてまた大声で、ＢＡＲＡＧＩとくり返した。

「ＷＡＩＴ！（この単語は普段犬によく使うので）おまえ少し静かに話せ（これも英語で）」

ＢＡＲＡＧＩ、とさらに大声を出した。

外人の新手のジョークかと思ったが、私は人さし指を唇に当て、黙れ、と命じた。

「どこに行きたいんだ？（今度はカタコトのスペイン語で言った）」

通じない。仕方ないので、相手の顔を指さし、その指をホームの電車の方にむけ、バラギ？

と訊いた。

相手が犬のようにうなずいた。

――ひょっとして茨城のことか。

それで常磐線のホームを教えてやった。

相手がそのまま行こうとしたので、「待て、礼を言わんか」と日本語で言った。勿論、相手はきょとんとしていたが、すぐに笑って丁寧に頭を下げた。それでいい。


少し前の話になるが、会社で使う言葉をすべて英語にする企業のことが話題になった。それはそれで構わないと思うし、仕事で必要な英語などたかが知れているから、すぐに慣れるだろう。取引先の大半が英語圏の国々、または英語しか話さない人たちとの仕事なら、それは必然な部分もある。

だが取引先の大半が日本語を使っているなら、そのやり方はおかしいし、肝心なことを経営者は忘れている。

会社で人が働くことが、利益、効率、機能といった類いのものだけならかまわないが、企業の目的はそれだけではない。

企業の目的は発展的存続だと私は考える。

我社はグローバルが叫ばれる今日、英語で会社を躍進させるのだ、と言うかもしれないが、英語ではまず進まないだろう。

——どうしてかって？

グローバルだろうが、躍進だろうが、そこに人間を作り上げるものがなければ、ただの利益集団でしかない。為替の投機集団と同じである。

企業の価値は資産、資本金、株価などではない。企業の真の価値は社員である。人間である。誰だって仕事の覚え立ては失敗のくり返しだ。中堅になってもなお失敗はある。苦節、苦悩も日々生じる。しかし失敗、苦節が人間の力をつけていく。ここが経営者の歯がゆいところだが、そうして力をつけた企業は底力を持っている。

「どんな会社に就職したらいいんですかね」

若者に尋ねられる時がある。

「魅力的な経営者、それ以上に魅力のある社員がいる会社を選びなさい」

「今は就職難だから、そんな所まで見る余裕はありませんよ」

そうではない。人間が二十歳を過ぎれば、人の顔、表情、姿を見て、その人が底力を持っているかどうかはわかる能力はあるのだ。

ファッションじゃありませんよ。マスコミ受けの善し悪しでもない。会社でも工場でも見学に行ってみればわかる。

目が違う。

――何？　人を見る目がない？

なら信頼する恩師、先輩に相談することだ。
今は景気が良くても、存続が危なっかしい会社はゴマンとある。
企業は人である。底力は人間力である。
それを鍛えるのに必要なもののひとつに言葉がある。
「さぞ苦しいだろうが、君の今の苦しみはやがて必ず君の力になる」
これをニュアンスを含めて的確に英語で言えるのかね？
会社で使う大切な言葉とはこういうものだと私は思う。

# 料理店と職人に一言申す

食の話は難しい。

私はこれまでほとんど食の話を書いたことがなかった。それは食の話は、どう書いても卑《いや》しくなるからである。

名文家と評判の文筆家でも、こと食に関しての文は、そこに卑しさを感じる。ましてや文章を話言葉と同程度に考えている輩が食について書いたものは酷《ひど》い。

〝まったりとした味わいだ〟

——まったりとは何だ？　相撲の技か。あれはとったりか。どういう意味だ。

〝ソースと食材がハーモニーを奏でてる〟

——ソースは楽器か？

〝十分によい仕事をしている店と見た〟

——失礼だろう。何年も修業した職人に、昨日、今日出てきた者が、その仕事を易々書くのは。見た、からどうなの。

いつの頃からか、食通と称して（自称だろうが。あの人は食通だ、などとまともな大人の男は、他人のことを言うものではない）、その食通まがいが喰いもののことを書いて生業としはじめた。上手い商売を見つけたものである。

ではなぜ彼等の生業が成立するか。それは日本人が食に関しての贅沢を平気でするようになったからである。百年に一度の不況と言われても、星がいくつか付いたと訳のわからないことを言ってる店には、今も客が押しかけているのが現状だ。

大宅壮一が生きていれば（古いナ）、

〝一億総グルメ化〟

〝一億総田舎者〟

と書いたであろう。

なぜ大勢の人が、その類いの店に走るのか？ それは田舎の人は店を知らないからである。

田舎の人？ わかりにくい？ 詳しく書けば、世間を、都会を知らない人である。世間とどうつき合うかを教わっていない人である。そういう人は飯屋を探す時間と勘を持たないのである。しかし金はある。祖父《じい》さんの代あたりで悪いことをして金の成る木を盗んできたのだろう。

この手の人には食文家の案内はまさにあんちょこなのだろう（あんちょことは安直が訛った言

葉である）。それで美味くて、満足すれば結構なことだ。田舎の成金と食文家が合体し、商売成立。パチパチ。

私は上京している時は、外食は夕刻のみで、小料理屋、鮨屋（焼鳥屋を忘れてた）に行くだけで他の店はいかない。

これでもう十分。

店が、美味いか、不味いか？　それは私にはわからない。

どの店も自分で探すか、昔、人に連れられて一度行き、そこから長い時間をかけて食べてきた店だ。

いずれも小店である。小店が良いのは料理をこしらえる職人が少ないということともう一点（これが大事なのだが）、料理が出てくるのが早い。大店は燗酒《かんざけ》一本注文しても、酒蔵に酒でも取りにやったのか、となる。酒でさえ、封を切って小一時間空気に晒せば味はかわる。赤ワインは別として酒はそういうものだ。ましてや料理は放っておけば職人の思っている味は半減すると私は考える。

長年、通っているが馴染客ではない。馴染客とは暇があってもなくとも、その店に通う客だ。そうして店の生業に貢献している上客を言う。そこまで暇ではないし、馴染客にはいやらしさが漂う。新客などが店に来ると、何者だ？　という顔が出る。

――おまえこそ名を名乗れ。

である。金を払って飯を食べて見ず知らずの他人にそういう目で見られる覚えはない。

小店で、料理が早く出る。

他には、これは常識だから書く必要はないが、清潔ということだ。料理、店内は勿論だが、職人が身綺麗にしていなくてはどうしようもない。

清潔、身綺麗は、丁寧につながる。

丁寧は仕事の基本である。

丁寧は、人間の誠実が、これをさせている。誠実は生きる姿勢である。

小店ではそれが目に見えてよくわかる。

私が通う店は、職人、調理人が寡黙である。当然である。多弁では調理が疎《おろそ》かになる。

# 松井秀喜が教えてくれた店

食にかかわることを書いた文章というのは、どんな名文家が書いても、そこに卑しさが出ると書いた。

これに付け加えておきたいことがある。

食にかかわることは、これを口にしてもどこか耳に障《さわ》るところがある。

酒場のカウンターで飲んでいて、この頃、よく耳にする、男たちの或る会話がある。

「あの店は美味いね」

「そうだね。特にあそこの×××は絶品だよね」

この手の会話は聞いていて気味が悪い。

大人の男が酒場でする話題ではなかろう。

自慢話というのは二流、三流の人間のオハコだから、普段の会話の中に自慢話が出るのはごく一般的なことだ。

食の話には、自分はその店に行ったことがあり、そこで美味いものを食べたんだ。その上、これが美味いとわかる人間なんだ、と言いたげな自惚《うぬぼ》れが伝わる。

蘊蓄《うんちく》という言葉がある。言葉の意味は、物を十分に貯《たくわ》える、とか、知識を深く貯えてあること、らしいが、意味からして嫌な感じである。こちらに物が不十分なせいもあるが、〝知識を深く貯えてある〟というのは、それ自体がいやらしい。何を基準に一人の人間の中に知識が深く貯えてあると言えるのだろうか。当人がそう口にしたら、その人は相当におかしい人だし、周囲の人間がそう言っていたなら、その人を揶揄《やゆ》(人をからかうこと)しているとしか思えない。

なぜなら知識というものほど怪しいものはない。私に言わせるとこれほど荒唐無稽なものはない。だから〝蘊蓄を披露する〟という行為は、自分は馬鹿です、と懸命に語っていることに他ならない。

しかし蘊蓄を聞くのが好きな人もいる。だから世の中は面白いのだろうが、何年か前に、或る友人が連れて行きたい鮨屋があるというので同行した。

行きのタクシーの中で友人が言った。

「おまえさんを連れて行くのに少しだけ、その店で気になることがあるんだが」

「何だよ?」

「いや……」

そうこうしているうちにタクシーは店の真ん前に着き、丁度、客を送り出した店の女将と友が顔を合わせた。女将が店の中にむかって友の名前を呼び、二名さま、と大声を上げた。

気になることは聞けぬまま店に入り、カウンターに腰を下ろし、酒を酌み交わし、ひさしぶりに語らった。季節は丁度、新子《しんこ》の出はじめだった。

友がカウンターの中の主人にむかって、新子の味を誉めるようなことを口にした。途端に、主人が語り出した。

「新子というものはね……」

私は急に何を話し出したのだと思った。話は、鮨というものは、にまで至った。ほとんどが自慢話であった。

——友が気にしてたのは、これか……。

自慢話というのは、百にひとつくらい面白いものもあるのかもしれないが、やはり程度の悪い会話だ。食通と呼ばれる人の、食の語りにはこれと似たところがある。

最初から、頭を掻き掻き、

「どうも私は出自《しゅつじ》がよくありませんで、意地きたないと言うか、喰意地が人の何倍もはってまして、美味いもんを喰うことが何よりの喜びでして……」

と断わってくれれば、

――ほう、そりゃ面白そうだ。こいつが通ってる店に邪魔してみたいもんだ。

と気持ちも動くというものである。

銀座の小店のOに私を連れて行ってくれたのはヤンキースの松井秀喜選手である。

年に一、二度、二人で食事をするようになり、こちらが歳上なので馳走していたらスラッガーが申し出た。

「一度、ご馳走したいのですが」

「私をかね？　君が私を……」

「駄目ですか？」

「駄目じゃないよ。友人にご馳走になるのは好きだよ。毎晩だっていいさ」

「伊集院さんは銀座が多いんですよね」

「銀座じゃなくてもかまわないよ。つまんない店も多い街だから。銀座かね？」

スラッガーはうなずいた。

七丁目の路地裏にある雑居ビルのどん突きにあったちいさな店に、スラッガーは山のような巨体をかがめるようにして暖簾を潜《くぐ》った。店の構えがいい。

――ほうっ、いい店を知ってるんだ。

主人と女将の二人がカウンターの六、七人と小あがりの一組を相手する店だった。

その店の名前は、こちらも銀座で長く遊んでいたから知らないわけではなかったが、縁がないので行くことはなかった。前にも書いたが店というものは人だから、縁がないものはそのままでいいのだ。たかが飯屋である。

その店は酒が美味かった。良い加減に酔えたので料理も悪くなかったのだろう。スラッガーの贔屓《ひいき》の店というより、店がスラッガーを贔屓しているようだった。

松井選手がニューヨークに行った後、縁があって人に連れられて、そこに出かける機会が数度続いた。その何度目かの酒席の話題にインテリア専門誌「室内」の主幹であった山本夏彦氏の話になった。

「あの人から原稿依頼があると嫌だったな。おかしなものを書けないような雰囲気があってね……」

山本夏彦はいまだに名コラムニストとして生きている。

店の帰り際、主人が小声で言った。

「あの一番端の席が山本先生の席でした。毎週×曜日に必ず見えて下さいました」

私はカウンターの隅の椅子を見た。盃を手にした翁の姿が浮かんだ。

——上手いこと飲んでいたんだな……。

# 大人の身だしなみについて

まともな文章を何ひとつ書かずに、愚痴ばかりを書き殴っていたら、周囲から声が出た。

——愚痴ったり（それ日本語かね）、怒ったりしてばかりは身体に悪いよ。

身体にいいから何かするってのも、大人の男がすることには思えないがね。

たばこの税金が一本あたり何円だか上がるそうである。

総理がのたもうた。

「私はたばこを吸わない。環境、人間の体の面から見てどうか。増税という方向はありうべしかなと思う」

オイオイ、それじゃ何か、喫煙者が煙草をふかしてるのが地球に悪いのかね。

——いや知らなんだ。

焚火《たきび》も禁止するかね。どんど焼きも、護摩を焚くのも禁止かね。宗教弾圧だろ。焼イモ屋も逮捕だな……。

それにしても煙草を吸ってる人が可哀相である。まるで罪人扱いじゃないか。

よく若い人が煙草を吸ってる年寄りにむかって嫌な顔をするのを見るが、失礼である。君たちが、そうやって何もしないで生きてられるのは、その年寄りが頑張ってきたからである。それに、健康に悪い、と言ったって、年寄りは百も承知で吸ってるの。残りの人生をイライラして何年か生き延びるより、ああ美味いな、と一服してる方を選んでるの。

こうしてたばこ税を上げて行けば、そのうちたばこを吸ってる人が金満家の基準になったりするかね。

掏摸《すり》なんかも、煙草を買ってるところを見つけて、あとを追うようになるのかね。

たばこ税どんどん上げろ。

じゃんじゃん働いて、じゃんじゃん吸ってやるから。株の買い支えじゃないが、私が吸い支えてみせるから(何を言ってるんだろうね)。

私はこれまで大人の男の〝服装〟についてと、同じく大人の男の〝食〟についての文章をほとんど書かなかった。〝食〟に関しては、すでに書いたように、いかなる名文家が書いても、そこに卑しさがつきまとう。

〝服装〟または〝お洒落〟について書くと、そこにイタリア料理好きの男に似て、軽薄さが漂う。いや漂うんじゃなくて、聞いていて、君は四六時中(へんな言葉だが)自分のお洒落のことばかりを考えてるのか、他にやらねばならないことがあるだろう、と思ってしまう。

では〝お洒落〟以前に大切なことを少し書く。

〝身嗜《みだしな》み〟のことである。

酒場などで待ち合わせた友が、礼服にネクタイであらわれたりする時がある。友はカウンターにドサリと座り、最初の一杯をやり、大きく吐息をつく。そうしてネクタイを外す。

友が招かれた立場か、招いた立場かはわからないが、大人の男には身なりをただしておもむかなくてはならない席、場所がある。

そこに出ることが恩義の、友情の、証しであったりする。

〝身嗜み〟でまず必要なのは、体調だ。体調を整えておかなくては、その席で相手に気がかりを与える顔色をしていては失礼だからだ。

顔色からしてそうなのだから、自分の五体を整えねばならない。

髪、髯《ひげ》、爪……匂いにいたるまで整えておく必要がある。これが基本だ。

基本がそうであるなら、服装、髪型、態度は何を基準にするか。

それは清い容姿である。潔《いさぎよ》いかたちを主旨としてすべてを整える。それで十分。

若い人には、若者なりの潔さがあり、三十歳、四十歳にはそれなりの清さ、潔さがあって当然だ。

——流行はどうするのか。

これは難しい。基本としては不必要だが、時代遅れのものを平然と身につけて立つのは、当人の神経を疑われる。かと言ってさっきのイタメシ野郎（差別用語か、イタリア料理好きの男）のように流行に敏感過ぎるのは軽薄に見える。

出かける前に鏡を見て（そういうのはナルシストみたいで……いいから見ろ）、大丈夫だと判断したら出かければいい。

——大丈夫じゃないかもと不安なら？

出かけなきゃいい。家でやんなきゃなんないことが一杯あるでしょう。

服装に関しては失敗をおそれないことだ。少し難しいと思うデザインのものもトライしてみる方がいい。その人なりのきちんとした身なりを修得するには、初めの内は〝十回〟着たもの（買ったものでもいいが）の〝七回〟は失敗だと考えていい。そうして覚えるのが身なりというものだ。

これは〝食〟と同じで何度も失敗して得るものなのである。

# 人間は誰にも運、不運がある

夜半、仕事をしていたら原稿用紙の上に黒い点がぽとりと落ちた。

思わず天井を見上げた。

――とうとうこの家も雨漏りか。

丁度、一年半かけて書いてきた連載小説の最終回を記した、その文字のすぐそばだったので、

――どういう予兆だ？

と考えた。

私はそんなにゲンをかつがないが、たとえば昔、競輪の〝旅打ち〟に出かけ、初日にプラスになると六日後の最終日まで髯も剃らなければ風呂も入らない。〝旅打ち〟の成績がわずかなプラスを続けていれば一ヵ月位風呂には入らなかった（これってゲンをかつぐ方か？）。

予兆を感じたのは、その黒いものが相撲の黒星のようにも見えたし、不吉な〝黒い雨〟を想像させたからだ。

ところがそのちいさな黒いシミ（七ミリくらい）がかすかに動いた。

――虫か？

鼻をくっつけるようにして見ると半円形の上にあざやかな赤い玉模様がふたつあった。

――こいつ、テントウ虫じゃないか。

私は驚いた。

仙台はすでに冬に入っている。夜になれば家はどこも戸締りがしてある。

――いったいどこから侵入してきたんだ？

しかも時刻は夜中の三時前である。

――宵っ張りのテントウ虫だな。

類は友を呼ぶってことか。私はもう一度じっと相手を見た。

――雌か、それとも雄か？

どうも私は生きものをそのふたとおりでまず判断してしまう。まあテントウ虫だからどちらでもよろしい。

私はテントウ虫をまじまじと見て笑った。

――これはいい兆候だぞ。

テントウ虫は私にとってラッキー、つまり幸運の女神である。

これまでも競馬、競輪、麻雀、ルーレット、ポーカー、チンチロリンなど大切な勝負処でテントウ虫に出逢った時は連勝だった。

「ちょっと伊集院さん、六十歳にもなった作家の大切な勝負処が、それだけですか」

――それがどうした。

テントウ虫は前足で顔のあたりを毛づくろい（とは言わんか）、じゃなくて盛んに拭《ぬぐ》っている。私は相手に気付かれぬようにそっと机の上の天眼鏡を取り、その様子を観察した。これがなかなか面白い。

――どこかで一杯やってきたのか？

私も酔っ払って部屋に戻るとやたら顔を撫でたり、髪を掻いたりする。この辺りにテントウ虫が一杯やる居酒屋のようなところがあるのだろうか。

五分も観察していただろうか。突然、テントウ虫が動かなくなった。

――こいつ眠むりやがった……。

人間は長く生きると、誰にでも運、不運があることがわかってくる。

いい時と悪い時は交互に訪れるという人がいるが、それは嘘である。運のいい人間と、運の悪い人間はあきらかにいる。

昔から人間が何か、誰かに祈ったり、頼み事をするのは、運、不運の存在を知り、運の悪い方に自分が入らないように願うからである。

私は、神頼みをいっさいしない。ここまでいい加減というか、さんざ悪いことをしてきて、今さら神がこっちの言うことを聞く道理がない。

まともなことだけをしてきたという人のことを耳にするが、私はまだそういう人に直接逢ったことはない。口にする人はいたが、よく見ると小悪党の権化のような顔をしてる。

長く生きることも運が必要だと言う。

昔、将棋の升田幸三名人が面白いことを語っていた。

「よく若くして亡くなった人は善い人が多かったと世間で言いますね。私は、それは早くに亡くなって可哀相だから、そう言って慰めていると思ったのですが、こうして名人になり、大きな会社の社長さん、会長さんに将棋の指南というか、まあ手ほどきをしに行くんです。そうしてわかったのですが、長く生きている人の手筋を見たり、人となりを眺めているとどうも悪そうな人の方が多いですね。長生きしたかったら善人はやめた方がいい」

この逸話を読んだ時、なるほど一理あると思った。

あれっ、テントウ虫がどこかに行ったぞ。酔い覚めに一杯引っかけに行ったか。

# 冬

——金をすべての価値基準にするな。

金を力と考える輩は、さらに大きな金の力で、
あっという間に粉々にされる。

# 大人にも妄想が必要だ

仙台では冬支度をはじめている。

暖炉の薪《まき》が運ばれたり、暖房の灯油を注文したりする。

雪掻き用のシャベルを納屋から出し、庭の鉢を隅に片付けたりする。

今は毎日がほぼ徹夜状態なので、夜明け方庭先に出て空気を吸い込むと、鼻の奥がツーンとする。中秋までと違って吸い込んだ冷気に枯葉や乾いた土の独特の匂いがする。

冬の匂いである。

外出しようとするとコート、マフラーを渡される。

私は車の運転はしないが、タイヤがスタッドレスの準備に入る。

見上げた空からウロコ雲が消えている。

山の見晴らしが良くなる。

虫の音が途絶える。

熊が出なくなる（冗談じゃなくてです）。

渡鳥をぽつぽつ見かけるようになる。

夕食に鍋が多くなる。

ホットウイスキー、熱燗が欲しくなる。

来年のカレンダーが届く。

新しい手帳を買う。

今年は年が越せるだろうかと考えはじめる（私の場合はずっとそれが続いた）。

各出版社からの借入れ残高を見てうんざりする。

帰省の切符の手配をする。

夜半、庭に出て空を見上げると、星のかがやきが違っている。

夜明け方、外を見ていると、やって来た新聞配達人の吐く息が白くなっている。

銀座のクラブからパーティーの案内が届く。

事務所に電話を入れて、銀座のツケの状況を聞く。〝ない袖は振れない〟と自分に言い聞かせる。

御節《おせち》の注文を家人から頼まれる。

お年玉のポチ袋を買いに行く。

「今年からはいりません」と言う人がどうして一人もいないのか、どうして自分にくれる人がいないのかとぼんやり思う。

仮眠の途中に目を覚まして、犬のお腹に足先を入れている自分に気付く。

ゴルフのボールが飛ばなくなる（もう寒さのせいじゃないか）。

挨拶に行かねばならない人の顔を思い浮かべる。

今年亡くなった人の命日を手帳に書き込む。

年を越せるだろうかとまた考える。

どこかに強盗にでも入ってやろうかと妄想する。

今年こそ宝クジを買おうか、と考え、当たると、それも困りもんだと思って、毎年買うことができない。

神保町で救世軍の隣りに立ってみようかと思う。

忘年会、宴会の知らせが届き出す。

二日酔いの薬を買い込む。

酒乱の編集者、知人のチェックをする。

カラオケ好きもチェックする。

自分の方も飲み過ぎて管《くだ》を巻《ま》いたり、裸踊りをしないようにと言い聞かせる。

どんなに酔って常宿に戻っても寝る前には着ていた物を脱ぐように。特に靴！

毎年、年の瀬、同じことをしているようで微妙に違っていくのがわかる。

寒空の下、星を見つめて公園のベンチで寝ることがなくなった。

ギャンブルで一発逆転をもくろみ、ハッピー・ニューイヤー、イェーイッと叫んでいる自分の姿を夢見なくなった。

どこか誰も知り合いのいない町に行って人生をやり直そうと思わなくなった。

突然、目の前に天使が舞い降りてきて、

「あなたの希望をおっしゃって、ダーリン」

なんてことも考えなくなった。

目を覚ましたら常夏の島で若い美女たちに囲まれていて、長い眠りでしたね、と言われ、この数年間のことがすべて夢だったとわかったという空想もしなくなった。

不幸にも大手の印刷所が軒並み火事になり、雑誌の発売がすべて中止になり、年末の締切りがすべて必要なくなったという自分だけの幸福についても考えないようになった。

妄想しなくなったということは、それだけ夢を見なくなったということだろう。

淋しいような、つまらないような、自分というものがどこかに行ってしまう感じだ。

それでも時折、年の瀬の夜半一人で銀座からぶらぶら歩いて常宿にむかう時、

——極楽トンボはどこに行った？

とつぶやくことがある。

〝よく遊び、よく遊べ〟

をモットーにやってきたのだから、今年の暮れくらいは、

〝さらによく遊び、もっとよく遊ぼう〟

の数週間にしたいものだ。

# 女は不良の男が好きなんだよ

葉をすっかり落した庭に〝冬のバラ〟が花を咲かせている。

寒風の中に凜と立つ、淡いピンクの花びらにはどこかいさぎよさがある。

〝冬のバラ〟と〝冬の花火〟は私の中で同一のイメージがある。

役者はせんない職業である。

海老蔵の一連の報道を見ていてそう思った。

昨夜、彼が記者会見をするというので家人が見てみたいと言った。

「よしなさい。見ても本音は言わんよ。勧進元が隣りにいれば虎とて猫になるよ」

家人にすれば最初の報道では被害者のはずの海老蔵が段々加害者でもあったと報道され、その真相が気になるらしい。

「喧嘩に加害者も被害者もあるものか。その上、酒の席だ。酔っていれば道理は失せる」

「じゃ相手が可哀相じゃない」

「喧嘩に可哀相もなければ、ましてや同情の入り込む余地などあるか」

「一方的に逮捕状が出たわけ?」

「一方的じゃない。告訴だろう。伝統ある歌舞伎と夜の愚連隊のどちらの言い分を取るかと訊かれて、お上は前者を取ったのさ」

「それが正義に反していてもですか?」

——面白いことを言い出したナ。

「正義? そんなものが喧嘩に介在するものか。酔っていた上の喧嘩だぞ。正義を持ち出してどうする」

最初の報道では、父親の團十郎が、息子が一方的に殴られたと言っても、そうなる理由が当方にあったかもしれない、と言っていた。これがすべてだと思った。息子のことは父親が一番良くわかっている。

加害者とされる相手を不良、愚連隊、元暴走族と言って人でなしのようにマスコミが報道するのはおかしい。誰だって若い時にはそういう血の気が多い時はあったろう。

誰にも親はいて友はいる。

記者会見は見なかったが、翌日のテレビでちらりと様子を見たら、妙な感じだ。

——これは海老蔵ではない。

私はそう思った。断言できる。

私は彼が若い時、新之助の時代に酒席をともにしたことがある。いい若者だと思った。その頃から酒が入ると元気になるところがあった。しかし礼儀は外さなかった。

「あなたの前だったからよ」

——どういう意味だ？

しかし十数年前の話である。それから彼がどう生きて、どう遊びを覚えたかまったく知らない。人間は三日で変わる。

家人は不良と目される若者に肩入れしている節がある。私もあの新之助でなければそうである。それに不良が好きなのは女の過半数である。

——それは違うって？

じゃ私がこれまで見てきた女振りのいい女はすべて違っていたことになる。

しかし何をここまで大袈裟に。

たかが若者の酔った上での諍《いさか》いではないか。

昔の人が、あのややこしい武士でさえ言っている。

喧嘩は両成敗である。

この頃、街場で喧嘩を見なくなった。

暴力と喧嘩は違う。喧嘩で命を落すことはほとんどない。ヤクザの出入りや抗争とはまるで違うものなのだから。子供の喧嘩の延長と思えばいい。

喧嘩は腕力ではない。勢いと度胸だ。

弱い犬ほどよく吠えると言うが、喧嘩は大声を出したり、あおったりする方と、それに耐えていた方なら、実戦に入ると耐えていた方が精神力も腕力も強いのが常識だ。

喧嘩は後腐れがあってはいけない。

警察を介入させたのはどうかと思う。彼等も迷惑しているのではないか。

役者や色男は力がない方がいい。

色男で力があったらまず永生きできない。

昔、歌舞伎町のコマ劇場の裏手にYという喫茶スナックがあって、そこのバーテンダーがめっぽう喧嘩が強いと評判で、酔った勢いで喧嘩になったら、私の半分くらいしかないガタイだったのにコテンパンにやられた。

横浜の本牧でベトナム帰還兵の黒人兵が日本人の女性をからかっていたので注意すると喧嘩になった。こちらは三ヵ月位左目が開かないほどやられた。それも一発でだ。

「あなた口ほどでもないのね。ハッハハハ」

それがどうした。

# 生きることに意味を求めるな

一年がまた終る。

時間というものは絶対的な力を持っている。

時間と五分にやり合えるものは何もない。

空間も、社会も、生態系も、宝くじの当り札も、賽《さい》の目のピンゾロも、絶世の美人も、政権交代も時間に比べれば皆、屁みたいなもんだ。

いつだったか偉い高僧の話を聞く機会があって皆がかしこまって、千日修行を何度か乗り越え、九十歳にならんとする僧の説話を聞いた。話が終り、聴いていた水道の配管屋のおやじが僧にたずねた。

「お坊さま、ご長寿が羨やましい限りで、ひとつお聞きしたいのですが、私は今六十歳を越えたばかりでして、六十歳から九十歳までの三十年というのはいかような感じでございましたか」

――ほう面白いことを聞くもんだ。

聴衆の大半は年寄りたちだった。

僧は目を閉じて何も言わない。

聴衆は皆固唾《かたず》を飲んで僧の言葉を待った。

僧は目を閉じたままだった。

配管屋がまた声を出した。

「お坊さま……」

すると僧はカッと目を剝いて、

「一瞬じゃった」

と応えた。

皆が、ホゥーッと感動の声を上げた。

その時、一緒に行っていた麻布の鮨屋が、

「チェッ、何をぬかしやがる」

と舌打ちし、言葉を吐き捨てた。

「伊集院さん、引き揚げましょうや」

と立ち上がった。

――いい鮨屋だナ～。

と思った。

一年がまた終る。

人はさまざまなことで悩んだり、失望したり、場合によって死んでしまおうかと考えたりする。特に年の瀬は普段と違って余計なわずらわしさがむこうからやってくる。

人によってはあまりにもせんない立場に、

——なぜ、こうなったんだ？　わしだけがなぜこんな目に遭う？

とややこしいことになり、果ては、

——人生って何だ？　生きるって何なんだ？

とまで口にしてしまう。

オッサン、生きる意味なんぞを年の瀬に問うたら、訳わからなくなるよ。

生きる意味なんぞ、誰か暇な奴が考えればいいの。哲学者とか、競輪場のガードマン（最近、客がガラガラなので）とか……。

生きることにいちいち意味を求めるのは、鮨を喰うのに、ミッシュランとかいう馬鹿な星がふたつもついてる鮨屋のトロだから、うん、やはり美味い、といちいち御託言いながら鮨を食べる阿呆と一緒でしょう（タイヤ屋に鮨がわかるか。若い奴に鮨がわかるものか）。

美食家？　食べ物のコウシャク言うんなら五十年、一財産喰ってから言え。

一年がまた終る。

ひと昔前は年の瀬になると、必ずどこかで〝行き倒れ〟というのがあった。

「行き倒れが出たぞ。橋の下だ。行き倒れのホトケが転がってるぞ」

近所の男衆が声を上げて走っていた。

年が越せそうもなかったのか、食べるものがなかったのか。生きることが嫌になったのか。

ともかく年の瀬に死ぬ人がいた。

今はとんとそんな話を聞かない。

何が不景気だ。皆何とか恰好を整えて暮らして行ってるじゃないか。金だって底をついてないのだろう。なら年の瀬くらいパアーッと宴会でもやりましょうよ、社長。

# 下町の大人にはこれがある

年の瀬は、私のように世間のつき合いを無視して生きる人間にも、何やかやと用事ができるものである。

それで十二月の初《しょ》っ端《ぱな》から、夜の電車に乗って上京した。

タクシーが天神下に着き、馴染みのおでん屋〝T古久〟に駆け込もうとすると店のシャッターが降りていた。

——どうしたんだ？　皆死に絶えたか？

首をひねっていると、この日が定休日なのに気付いた。

それで天神下の交差点の斜向《はすむか》いにある鮨屋〝K八鮨〟に寄ることにした。

この一年、何度かこの店に立寄ろうと思っていたが、かなわなかった。

一年前の秋、この〝K八鮨・湯島店〟に一度だけ入った。一見の一人客だ。

四国、観音寺からの帰りだった。その頃、家人の首の痛みがひどく、彼女がいろいろ探して、四国の病院に入院した。見舞いを兼ねて様子を見に行き、帰り際に不安気に私を見送る彼女を飛行機の中で思い出したりした夜だった。

　こんな心境の時は馴染みの店はどうも塩梅が悪い。

　カウンターに客はなく、若い店主の前に座った。握りを一人前とビールを注文し、

「ぽつぽつ握ってくれますか」

　と一人酒をやっていると店主が訊いた。

「出張のお帰りですか」

「いや、女房の見舞いでね」

「病院はこの辺りで」

「四国だ」

「そりゃ遠くまで……。お淋しいですね。旦那さんも」

　――あっ、そうか、淋しいのかナ。

　一人前の握りでビール二本、日本酒を三本やった。頃合いだと勘定を頼むと、驚くほど安かった。

「酒は三本だよ。計算は大丈夫かね」

「はい。間違いございません」

　私が立ち上がると、店主は素早くカウンターを出て外まで見送り、こう言った。

「旦那さん、旦那さんも身体に気を付けて下さいまし」

私は思わず相手の顔を見た。

歳は私よりふた回りくらい若い。実のある言葉を耳にして、下町にはこれがあるのだと思った。

いつかその時の礼がてら、少し呑んでみようと思っていた。

その店も定休日だった。

上手くは行かないものである。


鮨屋の職人が好きである。

彼等のどこがいいのか、上手くは言えないが、いい顔をした男が多い。それはたぶん修業時代に辛苦を味わったからだと私は思っている。叩かれた顔は味が出る。

銀座の〝寿し処、K〟の主人の顔などは惚れ惚れするような男っ振りである。

勿論、鮨を握らせれば、中では（銀座のことです）一、二であろう（一と書かないのは、一ではそれ以上がなくなるからだ）。

私は鮨屋の職人と時折、店がはねた後などに呑みに行くことがあるが、彼等が出がけに腕に時計を嵌《は》める仕種が好きだ。

鮨職人の手に時計がされた時、その瞬間に仕事場ではない場所に足を踏み入れる感じがして、大人の男が遊び場に出向く折の何とも言えない、いい雰囲気がする。

鮨職人、バーテンダーに時計好きが多いという話を聞いたことがある。

それは、彼等が修業時代、客の手を見続け、そこにある腕時計に否応なしに目がいき、時計に対して目が肥えるからだと言う。

なるほど、と思った。

私は時計をしない。と言うより、金属を身体に付けることが苦手である。

しかしいい時計を見たり、大人の男がふさわしい時計をしている姿を美しいと思う。

人間がこしらえたさまざまなものの中で時計は最高の部類に入るものだと考える。

若い人がちょっと古い時計をしていて、

「味わいのある時計だね」と言い、「祖父から貰い受けたものです」などとかえってくると、そこに大人の男の洒落の神髄のようなものがあると思ってしまう。

かつて私は大学進学のために上京する前夜、父と生まれて初めて一時間以上話をし、最後に、時計を渡された。

古い時計だった。

「時計を見て人を判断する者もいる。大事に使いなさい」

私はその時計を大切に仕舞っておいたが、或る時、どうしても打ちたい競馬があり、近所の質屋に持って行った。

「いかほど御入り用で？」

「五万円あれば」

主人はそっと時計を私に戻して言った。

「五万円どころか、五百円にもなりません」

質屋の帰り道、私は笑い出した。

# 大人の仲間入りをする君たちへ

毎年、新成人を迎える若者が全国で百数十万人いる。

新成人おめでとう、と言っても、彼等にはおそらくピンとこないだろう。

そりゃそうだ。カレンダーの日付けで、今日から大人と言われても、ハイ、大人です、と納得する若者はいまい。

しかし君たち、人生は長いようで短く、短いようで長い。短いことを例に挙げるなら、君だって、もう二十年生きてしまったのか、と半分驚いているはずだ。かつて人生は六十年そこそこと言われていた。それを基準に考えると、すでに三分の一を生きてきたことになる。皿に載ったショートケーキでいうなら、あと三分の二しかない。

これを三分の二しか、三分の二も、のどちらで考えるかは別の話である。

ともかく現実の時間はそうであり、時間とは残酷で容赦のないものだ（これも見方ですが）。

ほんの百五十年前は侍は十五歳で男を大人とした。侍は大人の男が十五歳で自ら死を決し、それを実行できる術《すべ》まで教えた（大人としての考えはいいが、自死は人間の道としてはずれてい

る)。

百二十七万人のうち何人の人が健康な身体で、この日を迎えたかも考えるべきだ。病いを患ったり、持って生まれた病苦と闘いながら、ようやく二十歳になった若者も大勢いる。その人たちと家族にこころからおめでとうと言いたい。

私にも経験があるが、二十歳の前に不幸にも亡くなった友もいる。十七歳で海の遭難事故で弟を亡くした。

母が言うには、「その友だちの分も、弟の分も、おまえがしっかり生きることです」となるのだが、日々の暮らしは、目の前にあるもので一喜一憂し、楽な方に身を置こうとするのが若者であり、人間だ。

成人式の祝賀で、酒を飲み、大騒ぎをする若者を警察が取締り、毎年、逮捕者を出す街まである。テレビの報道で見たが、たしかに無茶はしているが、それもこの日限りのことではと思ったりする。

しかし大半の成人はやはりこの日を特別に感じているはずだ。

――大人はいいか?

辛いに決っている。

おまけに昨日まではおおめに見てくれたことが、

「何をやってんだ。子供じゃあるまいし」

と本気で怒鳴られる。

割に合わないって？　人生というものは総じて割には合わないものだ。そういうことを平然と受け入れて生きるのが大人の男というものだ。

じゃ周囲を見回して、大人の男たちがきちんと生きているか。

——だろう……。

まともなのは十人に一人か二人だ。

この頃は世の中がおかしいから？　そうじゃない。昔からまともな大人というものはごくわずかしかいないのが世の中なのだ。

大半の大人の男は、こう思っている。

——私はいつ大人になったんだろうか。ただ生きてきたらいつの間にか周囲が大人扱いをしていた。

これがおそらく本音だろう。

しかしいつまでも、そんな甘い考えではいけない。馴れ合いで生きてはいけない。

人間は木から落ちた小枝ではないのだから流れに身をまかせて生きてばかりでは淋しい。

人はどこかで己と対峙し、自分を取り巻く、世界と時間を見つめ、自分は何なのかを考えてみるべきだ。

――そう言われても何からはじめれば？

だから、まず個、孤独の時間。独りになる時間と場所をこしらえ、じっとすることだ。チャラチャラしても生きてるのが人間なのだから、それは少し止めるんだ。

新成人の諸君に少し言っておく。
一　すぐに役に立つものを手にして、何かが上手く行ってると思うな。すぐに役に立つものはすぐに役に立たなくなる。
二　金をすべての価値基準にするな。金で手に入るものなどたかが知れている。金を力と考える輩は、さらに大きな金の力で、あっという間に粉々にされる。金は砂と同じだ（そう言えば砂金と言うな）。
三　自分だけが良ければいいと考えるな。ガキの時はそれも許されるが、大人の男にとって、それは卑しいことだ。咄嗟《とっさ》にプラットホームから飛び降り、人を救おうとした、あの韓国人青年の勇気と品格を思い出せ（いちいちそうしろと言ってるんじゃないからね）。
四　世界を見ろ。日本という国がどれだけちいさく、外国からどう日本人が見られているか。将来、この国はどうなって行くのかを自分で考えるんだ。
五　神社、寺で手を合わせた経験があるなら、キリスト教、イスラム教、仏教を学んでおくことだ。そこに今の世界観の出発点がおうおうにしてある（食事中に戦争と宗教の話はしない）。
六　他人を見てくれで判断するな。自分の身形《みなり》は清潔にしておけ。
七　二十歳から酒を飲めるようになるが、乱れるな。愚痴るな。品の良い酒を覚えろ。
八　今はこう言ってもすぐにはわからないだろうが、周囲の人を大切にしろ。家族、友、恩師……。

思いついたままに書いたが、ひとつくらい実行してみなさい。

私は半玉《はんぎょく》（芸者さんの卵ですナ）や新人ホステスに気を付けることを訊かれるとこのことだけを言う。

「安手を引くな」

「何のことどす？」

「安いものに手を出すなってことだ。我慢をしていれば必ずいいものが見えてくる」

「おおきに、ありがとさんどす。ボトル空《から》どっさかいもう一本お入れしてよろしか」

人に教えを乞うて、ボトルを出す奴がいるか。たまには奢って、おくれやす。

# 大人のラブレターの流儀

いやはやえらい雪だった。

仙台に移って十数年になるが、今年の冬が一番寒いように思える。

その証拠に、月初めの夕刻、歯の手術のために上京しようと仙台駅のプラットホームで電車を待っていたら、目の前に着いた車輌のドアが凍って開かなかった。それを知っていたのか駅員が熱湯の入った水差しを手にドアの隙間に湯をかけていた。

――嘘だろう……。

それでも目の前のドアは開かず、駅員と顔を見合わせて笑ってしまった。

歯の骨を削られたのだが、あれは嫌な音がするものだ（翌日の歯科での話です）。

麻酔がしてあるので、ちっとも痛くないのだが、嫌な感じだった。

麻酔をするために、心臓の医師二人に診てもらった（不整脈があるんで）。その折、エコー検査をして、映像に映った自分の心臓を見て驚いた。弁が左右に、誰かが旗を振ってるようにずっと動きっ放しだった。

「先生、先刻、エコーの映像を見たんですが、あの弁はずっとああやって動き続けているんですか？　疲れて止まることはないのでしょうか」

「止まれば死にます」

「はあ……」

東京と仙台で二人の医師に逢ったが、心臓の医師は面白い人物に思えた。精神力が強いと言うか、心臓に毛が生えていると言うか。

「心臓って車のエンジンに似てますすね」

「ああ、いい喩えですな」

——何十年も作家やってて、医者とは言え、歳下の君に日本語の喩えを誉められてもナンダカナ。

仙台に戻り、外の吹雪を眺めながら、氷の入った袋を頬に当てていると何やら妙な気分だった。心臓の弁の映像がずっと頭の隅に残っていて何かの折にあらわれ、自分の胸の中で今も動いているのだと思うと、これもまた妙な心地がした。

このエッセイを読んでいる人から葉書をもらい、そこに〝手紙の書き方ならラブレターの書き方も伝授下さい〟とあった。

――う～ん、ラブレターね。

出したこともらったこともないものナ。文豪たちの中には懸命にラブレターを書いている者もいるものナ。高村光太郎の智恵子にあてたもの。谷崎潤一郎が人妻にあてたもの、スタンダールの『赤と黒』などは主人公、ジュリアン・ソレルに名をかえてスタンダール自身が、或る女性に思いの丈を綴った作品と言われている。

ラブレターなんだから、

〝惚れている〟

と一言書きゃいいのではなかろうか。

――味気ないって？

味は二人でこしらえればいいだろう。

前も言ったように、人に文章で何かを伝えたいのなら、〝誠実と丁寧〟が基本だ。

「字が下手なんで……」

それは関係ない。一文字ずつ丁寧に書けば十分である。むしろ達筆な文字の方が、その文が安易に思えることは多々あるものだ。女性で達筆な文字を見ると、少し怖いと思う。いろいろあったのかナ、などと想像したりする。

絵手紙というのが流行しているそうだが、あれも自信持って描かれると、ナンダカナ～。役者で絵を描く人がいるが、あれもヒドイものだ。周囲が上手いなんて言うから、その気になる。絵手紙と一緒で、文がちゃんとしてないから絵がいるのと違うのか。演技だけちゃんとすればいいのに、それができないから、おかしなことするんだろう。

絵は画家、イラストレーターが描くものだ。素人の絵は人に見せてはいけない。

# 贈り物と礼節について

関西の綾部に住むK平夫妻から、春の花が届いた。

万作、黒文字、羊歯《しだ》の葉などが水を含んだ和紙に包んである。それを花入れに活けて仕事場の机の上に置いてもらうと、一足早い春が微笑む。

人の親切のお蔭とは言え、雪の舞う北の地で、そこだけ春が華やいでいる空間は、値千金の眺めである。

有難いことだ。毎年、春と秋の初めに、K平夫人が綾部の庭、山野を散策し、花を摘んで、それを丁寧に包んで送って下さる。

この花を、それぞれ花器を選んで家のあちこちに置くと、これがなかなかだ。

いつもは花だけだが、今回はダンボールの底に妙に重いものが入っていた。蒲鉾《かまぼこ》くらいの大きさでずっしりしていた。

――金塊か……。綾部で埋蔵金でも掘り当てたか。

期待して開くと硯《すずり》だった。珍品である。

他に釣りの浮きも入っていた。これも珍品らしい。

――太公望よろしく書に励めという暗示の組合わせか？　しかしなぜこれを私に？

そうか。K平さんが八十歳を越えられた父上のために新しく家を建てたので、その表札を頼まれて、何枚か送ったのだ。

表札くらいでこうなら毎日、百軒分くらい書いてやるぞ。

さてどう礼をするか。贈り物はこれがあるから困るのである。

机の上に硯と浮きを並べ、腕を組んでうなっていると、家人がやってきた。

「値のするものなのかな、これ。弱ったなあ……。家の納戸に金ののべ棒でも二、三本ないかね。それを送り返そう」

「あるわけないでしょう。いいんじゃないんですか。今日はあなたの誕生日だし、還暦祝いってことで」

「そうか……。けどK平君は私の誕生日など知るはずがない」

「いいんですよ。そういうものは適当に託《かこ》つける方が」

――大胆な奴だナ……。

ともかく明日の朝早く起きて、この硯で墨をすって礼状をまず出そう。

墨を使うなら朝一番の水がいい。これは常識である。手紙は丁寧と誠実、つまり姿勢だ。

ついでに言うと、K平夫人の花たちはとても日持ちがする。これは夫人が早朝に花を摘むからである。陽が昇る前の、光合成がまだはじまらないうちに摘んだ花は夜になっても萎《しお》れない。

家の中にはいろんな人からいただいた花がある。その中にOさんからのバラがあり、眺めては吐息をついていた。

「先刻からOさんの花を見て、どうしてそんなに吐息をつかれるんですか」

「う〜ん、どうして貧乏なOさんがこんな高価な花を送ってよこしたのか、わけがわからない。貧乏人というのは、なんで、こんなに見栄を張るんだろうか。Oさんの家はしばらく喰っていけないんと違うか」

「Oさんに失礼ですよ」

「そうかな……」

以前も書いたが、金のない人に限って見栄を張る。どっちみちないんだから、ここは一発ドーンとバラでも送っちまえ。そんなところだろう。私はずっと金がないので、その気持ちよくわかる。

数日後、上京した。松井秀喜君と逢うためだ。

翌日、米国に出発する、その前に挨拶したいと言う。

——いいこころがけだね。

待ち合わせの時間に、やっぱり遅れてきた。

「ヒデキ君、ソーシア（前の移籍先の球団の監督です）は遅刻が大嫌いなの知ってる？」

「ハッハハ」

——笑って済ますんじゃありませんよ。

還暦の祝いに赤いハンカチーフを持ってきた。

「君、大人になったね。この箱の下にあの珍しい千ドル紙幣が一万枚くらい入ってたりするのかな」

「ハッハハ」

チームの移籍が決ってから言っておかなくてはいけないことを話した。
一　春先に無理をしないこと。
二　住居は安全の上に安全で選ぶこと。
三　人とのつき合いを悪くすること。
四　何度も言うけど、遅刻しないこと。
「わかりました」

——いつもこの返事だ。大物っていうか、無頓着というか、長嶋さんの変な所ばっかり似てしまって……。

「監督（長嶋茂雄さん）は元気だった？」

「はい、元気でした」

「そりゃ良かった」

よく人から松井君の新妻のことを訊かれるが、私はまだ逢ってないが（人妻に興味ないし）、夫にMVPを獲らせたのだから、それは最高の奥さんでしょう。

# 大人が葬儀で見せる顔

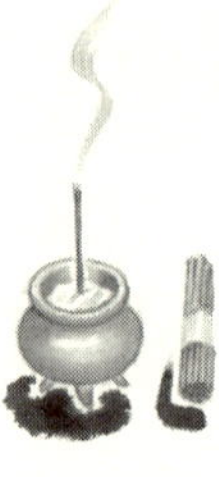

銀座の〝寿司処　K納〞が店を閉じた。

主人のKさんは福井を出て、若い時から鮨の修業一筋でやってきて、銀座に店を構えて三十年が過ぎた。

私はさしてつき合いは長くないが、前の店から顔を出していた。

新店からは、銀座に出かければ寄った。

これが銀座の鮨だ、という店であった。

――伊集院さん、これが銀座の鮨、とはどういう鮨なのでしょうか。

う〜ん、一言では言い難いが、〝すべてのものが一流である〞と言えばいいのかもしれない。

銀座は日本で一等の街である。

昼間も、日本で一等の品物を揃えた店が並ぶ。衣服から装飾品、文房具まで、一流の品物を出して店を構えている。品物も一流なら応対する人間も、それを要求される。昼食を出す店にしても、これが日本で一等というものをこしらえる。

昼には昼の銀座がある。

私は昼間の銀座にはほとんど足をむけない。もっぱら夕刻以降、夜の銀座だ。

食事をして、酒場を回る。それだけのことで他には何もない。

以前は銀座にむかう時、タクシーの運転手に、「ナカに入ってくれ」と言ったものだ。

銀座が東京の唯一、街のナカで、あとの街は皆ソトなのである。

銀座のフレンチ、イタリアンは講釈が多いので避ける。食通と称する輩が奨めた店もいっさい行かない。あの連中がつまらない日本語を店の中で喋り続けて、壁やらカーテンに唾を撒き散らしたと思うとドアも開けられない。

一番は和食だ。その中でも鮨が圧倒的に多い。鮨は上手くできている。元々が屋台であったのだから速くて、勢いがある。味の違いが歴然としている。

〝寿司処　K納〟に入ると、まず花を見る。匂いのあるものはない。葉だけのものが多いが四季は十分伝わる。

あとは座れば握りがすぐに出て、酒を飲み、一人なら普段、考えが及ばぬことをあれこれ思いながら、つまんで、飲む。

季節で替わる主人の背後に掛かった額の作品をぼんやり見る。

——去年は、この絵をあいつと見たナ。

頃合いで立ち、酒場にむかう。

私はこの店を知り、主人の鮨を知ったことを好運だと思っている。鮨の味はよくはわからない。自分の身体が主人の鮨に合って行ったのかもしれない。

ミッシュランなるものが、すべったころんだとタイヤを転がすようなことを言っても、私は主人の鮨が銀座で一番だと思っている。味は人である。

格も味もピカ一だった。

先日、一人で出かけ、礼を言った。

仙台に戻り、閉店の案内状を読み直すと、おや、ちいさな店をやってくれるかもしれないぞ、と文章の中に、そんな気配があった。いい予兆であればいいが……。


先日、兵庫県の武庫川に出かけた。

講演である。講演はほとんど受けない。私の話なんぞ面白くも何ともないし、聴きに来た人が良かったなどということを話せる訳がないからだ。

それでも依頼は来る。講演料を現金でもらって、飲むか打ちに行く。その理由だけで人前で恥をかきに行く。

大阪の宿から会場にむかっていて、ここが作家の黒岩重吾さんの家に近いことがわかった。そうとわかっていれば仏前に線香を上げに行ったのに、と思った。H夫人にも挨拶ができる。命日も近かった。

去年、和歌山にある黒岩さんの墓参に出かけた。海の見える美しい墓所だった。

墓前で手を合わせると、

「伊集院、ちゃんとやっとるのか」

と声がしそうで緊張した。

犬なんかもそうらしいが、最初に調教を受けたり、叱られた人に対しては生きている限り、緊張し、怖れを抱くそうだ。

本当に世話になった。

「黒岩さん、作家というのはどんな正月を送るもんですかね」

「阿呆言うな。作家に盆も正月もあるか。書いて書いて書いて死んで行くんや」

「は、はい」

ラジオ番組でインタビューを受けた。

久世光彦さんの特集だった。むけられたマイクに思ってることを話した。

「この頃、久世さんを思い出すことが多くて、聞いてみたい、打ち明けてみたいことがあるんです……。いや本当にダンディーだったな」

どちらの葬儀も出た。盛大だった。

葬儀に出席したら大人の男はどんな顔をしておくのか。

式の長い短いはあるが、その間中、故人との思い出をずっと思い起こしておけばいい。嘆《なげ》くもよし、笑うもよし。それが人を送ることだ。

通夜は早く行って、早く引き揚げる。

それでなくとも家族は疲れているのだから。残された者を労《いたわ》る。相手はもう死んでしまってるのだから……。

# 正月、父と母と話す大切さ

私は正月を生家の、母のそばで過ごす。

三年前までは父も健在だったので、三人で過ごした。家人は二匹の犬の移動が大変なので仙台で彼等の面倒を見てもらう。まあ正月くらいは彼女にも休みを差し上げる方がよかろうという気持ちもある。

生家にはたいがい大晦日の夕刻に着く。

だから私は毎年、大晦日の午後は駅のプラットホームか空港のロビーに一人立っている。

二十五年余り、それを続けている。

生前の父は、正月に子供たちの姿が一人でも欠けていると不機嫌になった。姉や妹が嫁いだ後は私だけは必ず帰省した。

一度、私が帰らない正月があり、その年の正月の父の不機嫌は凄まじかったらしい。怒りはすべて母にむく。それを知ってから私は正月は家に帰り、父のそばにいるのが自分の役割と決めた。黙ってそこに居て、父の酒の相手と、来客への挨拶をすればそれで済む。

だから正月の旅行というものを一度もしたことがない。

それが家の事情というものであり、それぞれ家族が引き受けるものだと考えている。

三年前、父が九十一歳で亡くなった。正月の松の内が明けてほどない冬の日だった。

次の正月は、母は淋しそうだった。

しかし母はその手のことは口にしない。自分の感情を他人にも家族にも言わないし、言ったことを一度も聞いた記憶がない。

そういう生き方をしてきた人である。

最初は父の不機嫌と、母の辛さを思って正月の帰省をなかば自分に義務付けていたが、十年、二十年と続けて行くと、子供たちの、息子の様子を年の初めに自分の目でたしかめておきたいという父の気持ちが少しずつわかるようになってきた。親にとって子供は何歳になっても子供である。

——きちんと生きているのだろうか。

——何か憂《うれ》いはないだろうか。

——本当に健康だろうか。

それを自分の目でたしかめたいのは親の心底にある愛情以外の何ものでもない。

——元気でやっています。

——仕事も何とか頑張っています。

と顔を突き合わせて語ってくれれば、それが本当に元気なのか、仕事が順調かは親にはわかる。子供を見てきた年数が違う。

この四、五年、独り暮らしの男のなす凶悪犯罪が目立つ。後で男たちの事情を知ると、共通している点がひとつある。それは彼等が何年も実家に挨拶に帰っていないことだ。

実の親はテレビの取材に、子供の悪業を詫びながら、この数年、逢っていないと言う。

一人前の大人がなしたことを親にまで詫びさせるマスコミの報道のやり方にも腹が立つが、親のことを考えない子供が増えているのも事実である。

父が亡くなる直前の正月、一人で庭をじっと眺めていることが多くなった父を心配し、母が私に言った。

「父さん、この頃、静かなので少し話しかけてあげてくれませんか」

私は父のそばに座り、昔話やら、自分のことを話したが、父はうなずくだけでほとんど話をしようとしなかった。それが或る人の名前を出すと、堰《せき》を切ったように当時の話を語りはじめ、顔に生気が戻った。その時の母の喜びようはなかった。

家というものはさまざまな事情をかかえて正月を迎える。外から見る他人の目には本当の、家族のこころの底は決して映ることはない。善きにつけ悪しきにつけ、それが家族であり、正月は家族の姿が如実に出る数日である。

まだ二十代の頃、一人東京で正月を過ごさねばならぬ年があった。それを知って友人が家に遊びに来ないかと誘ってくれた。

訪ねるといきなり家族での麻雀に入れさせられた。すぐそばで友人の姉と妹たちが双六をしながら小銭をやりとりしていた。途中、トイレに立つと、開け放った離れの部屋で友人の祖母さんと母親が間に座蒲団を敷き、花札を真剣な目で引き打ちしていた。

――どういう家族なんだ?

いろんな家族の正月の風景がある。

# 愛する人との別れ
## ～妻・夏目雅子と暮らした日々

「あなたはまだ若いから知らないでしょうが、
哀しみにも終りがあるのよ」

女優、夏目雅子が亡くなって二十五年の月日が流れました。今でも彼女の命日の前後には私の故郷、山口県防府《ほうふ》市の我家の菩提《ぼだい》寺にある墓には遠くから関係者の方やファンの方が墓参に来られます。有難いことだと思います。

二〇一〇年初夏、週刊現代の編集長から「夏目さんの特集をしたいので文章を書いてもらえないか」と申し出がありました。どうして、と思いましたが、同誌で一年前から連載をはじめたコラムに一話だけ夏目雅子の死んだ当日の話を少し書いたのが理由だとわかりました。これまでほとんど彼女に関する文章も書かず、取材も受けずにきていたのですが、その時のテーマが人間の生死に関することだったので、その逸話が一番伝わり易いと思って書いたのです。原稿を受け取った担当者も少し驚いて「これ掲載していいのでしょうか」と訊かれたので、かまいません、彼女のことを文章にすることで家族（妻のことです）には前もって話しましたし、どうぞ掲載なさって下さい、と話しました。

そのコラムを読んだ友人から酒場で、書いたんだね、と言われ、もういいだろうと思ってね、と返答しました。このもうというのが正直な気持ちで、それが二十五年という歳月のせいなのか、周囲の状況なのかはっきりしませんが、そのコラムは敢えて書くようにしなくとも書けたので、感情を揺《ゆ》さぶられることもなかったのです。これまでは、彼女に関する取材、執筆の依頼を受けなかったのは、彼女の死後、私の父親と話して、どうしたいのかと訊かれ、死んでからは静かに過ごさせてやりたい、と言いましたら、父親も同じ意見だったので、葬式も納骨もいっさいマスコミ取材を断わりました。今となってはそれが良かったのかどうかわかりません。大勢のファンの方に慕われていた存在でしたから、皆さんに送ってもらうのもひとつの方法でしたでしょう。しかし入院中のマスコミの取材は度を越えていましたし、写真誌やワイドショーのカメラを止めるのに病室で苦労する日々でしたから（そういう取材が当り前の時代だったんです）。

＊＊＊

白血病と宣告された時、いつ死んでもおかしくありません（医師の言葉ですが）、明日でもです、と言われました。ただ当人はいたって元気で入院の日も車椅子に乗せると喜んでいるくらいで、そんな状態の若い人に、血液癌と伝えることはとてもできませんでした。家族と、当人への宣告はやめようと決めました。

〝必ず生還させる〟。これが医師と私を含めての周囲の覚悟でした。医師も「著名な方がこの病気を克服して社会復帰されると同じ病気と闘っている患者さんの励みになりますから」と言われました。その話を聞いた時は、そんなことまで背負わせることはないと思いました。マスコミの取材を止めたのは、治療のクールがはじまる時以外は当人がきわめて元気で、テレビ、雑誌を見たがるからです。そこで不治の病いなどと名前を出して報道されたらたまりませんから。ですから入院中の彼女の愉しみの大半は映画のビデオと読書でした。

二百九日間の入院でしたが、当人は本当によく治療に励んでくれました。生来の明るい性格もありましたが、泣きごとを口にしたのは一度しかなかったように思います。私も仕事を休んで病室に入りました。それが大人の男として取るべき手段だったかは今もよくわかりませんが、彼女の安堵になったのならば（勿論、私自身にとってもそうですが）それはそれでよかったのだろうと思っています。

現在と違って、二十五年前の血液癌の治療はずいぶんと遅れていました。日本での骨髄移植もほんの数例しかなく、その生存例も術後三年経過していませんでした。寛解《かんかい》治療を中心にして悪質な白血球細胞にアタックをかける治療が続けられました。若いということは厳しい治療に耐えられる体力を持っている利点もありますが、同時に悪質な白血球細胞の増殖が速いというマイナスもあるわけです。治療の薬は日本で開発されたもの、海外で開発されたものなどの効果のあった薬を先生が入手して下さり、第一クール、第二クールと三ヵ月に一度のペースでアタックが行なわれました。血液癌に限らず、一般的に癌を患った方とその家族が、癌の知識、その治療法に詳しくなるのは当然で、私も血液癌に関して随分と勉強することになりました。

白血病については日本は広島、長崎での被爆国ですから、その治療法、研究、情報では世界の中で先進している方ですが、アメリカの治療が圧倒的に進んでいました。今は日本でも当時と比べものにならないほど進んでいるそうです。その時の習性か、今でも血液癌の医療雑誌を読むことがあります。詮方ないことですが、今日なら生還できたのではと考えることがあります。

一九八五年の二月に入院して、梅雨に入る頃には二度目（よく覚えていませんが）のアタックに入り、治療中は無菌室をセッティングするようになりました。少しずつ強い薬を使うようになり、アタック直後からの白血球が零状態の時の感染症が一番危険なので、菌の侵入の防止のためです。私も消毒した衣服で入室していました。

雨の多い五、六月でした。病院の裏手の焼却炉のそばで軒先から滴る雨垂れを見ながら煙草を吸っていた記憶があります。病院での日々というのはこちらも神経が昂っていますから普通の日々より速く時間が過ぎたように思います。ただ当人は退屈する時もありましたが、マスコミのこともあり散歩に出してやることもできず可哀相でした。性格が明るい上に、向上性というか、物事に興味を抱くとそれを実際に見てわかろうとするので病室での日々には不満はあったと思いますが、でも不平は一度も口にしませんでした。私でしたらとてもじゃありませんが点滴を外して外に飛び出していたでしょうね。よく耐えたと思います。

そうできたのは当人の強靱な意志でしょうが、同時に私が仕事を休止して付き添っていたことで、頑張らなくてはと思ったのではと後になって思いました。数日くらいは病院を飛び出して、「何が治療だ」という気分で好きな場所で思い切りやりたいことをさせてやるべきだったのではと思います。その悔みは〝生還〟にこだわり過ぎた私の誤ちではなかったかと思っています。

私には〝生きる〟ということが何なのか、まるっきりわかっていなかったんですね。若かったこともあるでしょうが、それ以上につまらない観念にこだわっていました。

＊＊＊

彼女と初めて逢ったのは一九七七年の一月、パリでした。今もありますが、ノルマンディホテルの天井裏のような一室でした。私は当時広告制作会社のディレクターをしていて、その会社のメインクライアントが化粧品会社でした。その化粧品会社の夏のキャンペーンの制作で、私はスタッフより一足早くパリに行き撮影の打合せやキャンペーンソングの制作にロンドンに出かけたりしていました。

当時の化粧品会社の広告にかける費用は大変なもので私が契約していた制作会社ではそのキャンペーンに社員のほとんどがかかりっきりでした。真夏のキャンペーンの制作を冬にするんです。前年から企画を提出し、その年も制作が受注できて順調に進んでいたのですが、モデルに起用した俳優とパリでの最終契約段階になってトラブルが発覚しました。詐欺まがいのことに巻き込まれ、企画すべてが頓挫してしまいました。契約していた制作会社の社長が急遽日本からパリに来て、それは見事に事態をおさめてくれました。ところが事件がすべて解決した後でこう言われました。「君もクリエイターなら制約のないものを一度は作りたいだろう。好きなもの作れ。但しヒットしなくては許さんぞ」そう言ってさっさと飛行機に乗って帰りました。

翌夕には大勢のスタッフがパリに来ます。起用しようとしてトラブルになったのはフランスの男優のジャン＝ポール・ベルモンドでした。女性化粧品に男性を起用するのが斬新だと企画が通っていたのです。一からやり直して、一晩でクライアントの担当とすべての企画を作りました。翌日パリのモデルエージェンシーでモデルのオーディションをはじめました。ところがこれというモデルがいないんです。翌日も百人近いモデルを集めてくれるように頼みました。

夕刻、スタッフがホテルに到着しました。その中にキャンペーンのパンフレットや小冊子用のモデルとして小達《おだて》雅子さんがいたんです。スタッフに連れられて彼女のいる最上階の部屋に挨拶に行きました。

最上階と言っても狭くて粗末な部屋でした。天井裏ですね。メインのモデルと違いますから、仕方ありません。その部屋の天窓から月明りが差していたベッドサイドにちょこんと女の子が一人座っていました。女の子というより何か小動物というか、小鹿みたいな感じでした。振りむいた顔を見るとずいぶん古風な面立ちのモデルを選んだんだなというのが第一印象でした。その時、十九歳になったばかりで女子大生に見えました。「パリも日本と同じ月なんですね」そんな言葉を最初に聞いた気がします。一生懸命頑張りますのでよろしくお願いします、とはきはき挨拶されました。

その夜、食事の後で私はクライアントと制作の責任者に提案をしました。それまでモデルはすべて外人でしたが、「日本人女性のモデルでやってみてはどうでしょうか」「どこにそのモデルがいるの」「パンフレット用で来ている女の子はどうでしょうか」それで皆して彼女にもう一度逢いに行きました。よく決めてくれたと思います。皆若かったのでしょうが、賭けてみようとなりました。それで撮影地もアフリカのサハラ砂漠にしました。大変な撮影でした。ラクダを集めてくれと注文すると三日三晩砂漠を駆けてやってくるんです。朝テントを出るとラクダだらけ。彼女、初めてラクダに乗っての撮影も、元々運動神経がいいんでしょう。難なくこなしていましたし、砂漠を走るシーンも炎天下で何度もトライしていました。頑張り屋でしたね。

サハラからスペイン領のカナリア諸島、パリでの撮影……と強行軍の撮影を無事にやってくれました。一ヵ月が過ぎると顔が変わってましたね。人の注目を浴びることでの変化というか、おそらく本来内に潜んでいたものが表出しはじめたんでしょうね。最後はフランス〝ヴォーグ誌〟の表紙になって撮影してもヨーロッパの一流のモデルと比べても遜色ありませんでしたから。

＊＊＊

夏目雅子になってからは、それは驚くほどの勢いでスターダムに昇って行くのを応援しながら見ていました。再会したのは一年後くらいでしたが、今はなくなりましたが六本木の狸穴《まみあな》にある蕎麦屋でした。その店で私がかなり酒を飲んで帰ろうとしたら店の女将が駐車場まできて、飲んで運転しては困るから車は置いて行ってくれと言うんです。あの頃、飲んでも平気で運転する人が多かったんです。すると彼女が女将に、私が運転しますからと言い出して送ってくれたんです。免許はあるんですかと訊くと、ないと言われてびっくりしました。でもお父さんの車を内緒で運転したことがあるって。その時、彼女少し痩《や》せていて顔色もよくなかったんです。大丈夫ですかと訊くと、連絡するのでまた蕎麦屋に連れて行って下さいと言われました。

それから半年位してまた再会しました。もう女優さんでした。それでもスター振ったところがぜんぜんなくてパリで逢った頃と同じでした。私は結婚していましたし子供もいましたからつき合うということはまるで頭にありませんでした。当時、彼女は横浜の山手の大きな邸宅に住んでました。私は学生時代の後半、横浜で沖仲仕なんかをやってましたからドヤ街の近くの焼鳥屋や立ち飲みの酒場や鮨屋に一緒に行きました。誰にでも気さくで天真爛漫でしたね。人を分けへだてすることがない。そういうことを知らないんだと思うんです。しかしそういうつき合いも長くは続きませんからね……。

マスコミに発覚して、クライアントが制作会社に事の真相をただしてきました。会社に迷惑がかってはと、その日に私は辞表を出して辞めました。マスコミにはひとつの記事でしかないでしょうが、人間一人職を失うこともあるんですね。しかしその会社は退社後も一年給与をくれました。犠牲にしてしまったという気持ちもあったのでしょうが、いい社長さんで有難かったです。

＊＊＊

今はもうありませんが、逗子の海に面した真ん中辺りに〝なぎさホテル〟という古いホテルがありました。そこの支配人のIさんという人とめぐり逢って、私はホテルの隅にあるちいさな部屋で居候をはじめたんです。仕事もしてませんでしたから部屋代も払えやしません。I支配人はそれでも「出世払いでいいから好きなだけ居なさい」と言ってくれてとうとうホテルが失《な》くなるまでの八年余り、そこで暮らしました。離婚もしていましたし、独りで気楽な生活でした。

そこに彼女が仕事が終ると来るようになりました。ご両親は私のような男が相手だと嫌だったでしょうね。何しろ無職の上に酒は浴びるほど飲むし、ギャンブルはやるし、喧嘩をするし、いいとこなんかひとつもありませんから。それでも彼女は休みになると遊びに来ていました。ホテルの従業員の人と遊んだり、茅ヶ崎、鎌倉へよく出かけました。由比ヶ浜にあるお鮨屋さんの御夫婦と知り合い大変世話になりました。この御夫婦には後に結婚する時に仲人までしていただきました。恩人ですね。

結婚のきっかけはよく覚えていません。正直、私は彼女は世間がわかってきたら私の元を離れて行くだろうと思ってましたから。結婚の報道で、彼女から押しかけたと言ってましたが、そんなことはありません。それは二人の意志でそうしたんです。彼女が私の子供たちやらに気を遣ってそう発言したんです。チョゴリを着て花嫁になりたいというのも私の父親への気遣いです。そういう性格でした。彼女のそういう思いやりに私はずいぶんと助けられました。テレビ、映画出演も多くなっていましたが、私はほとんど見ていません。女優ではないところでともに過ごしてきましたからね。そりゃ世間は私を恨んで当然でしょう。女優さんは皆のものですからね……。私を疎ましく思った人は多いでしょう。そんな中で演出家の久世光彦さんと映画監督の篠田正浩さんだけはいつも優しい声をかけて下さいました。有難かったですね。

逗子のホテルが失くなる話が出た時期に鎌倉に居を借りて二人で暮らしはじめました。でも病気の発覚で一ヵ月もそこに居ることはできませんでした。彼女は彼女で好きだった舞台の初主演での公演中の入院でしたから、それは口惜《くや》しかったと思います。そのことも一度も愚痴はこぼしませんでしたね。今考えるとたいした人だったなと感心します。まあ彼女の方が私のような青二才より一枚も二枚も上だったんでしょう。

＊＊＊

最後のアタックがはじまる前に担当医に言われました。「何かお好きなものを食べさせてあげて下さい。お酒も少しならかまいませんよ」。よほど薬がきついものだったんでしょう。あと数日で治療がはじまるという八月の宵、神宮の花火大会があったんです。病室からそれが見えると医師から聞いて楽しみにしていました。かがやくようなものが好きでしたからね。当夜、窓辺に抱きかかえて花火を見せたんです。ところが途中で、疲れたからと言ってベッドで休みはじめました。入院して、私、初めて不安になりました。急に花火の音がうるさく思えてね。

担当医に言われてアタックの前夜、元気な頃二人でよく行った銀座の焼鳥屋で弁当をこしらえてもらいました。いい女将さんで小声で、頑張るように伝えてと言ってくれました。そして銀座通りでワインを買ったんです。まだワインを飲む人が少なかった時代です。パリで二人で飲んだんです。いいものを飲ませてやりたかったのですが仕事も休んでいましたし、もう手持ちの金もありませんでした。中位のワインを買ってタクシーで帰る時、金がないというのは情ないもんだと初めて思いましたね。そのことは治療にも言えて、アメリカの病院に行けば病気は治るという情報があったんですね。少なくとも日本よりは治る可能性が高いと。一億くらいかかるんですね。その金が私には工面できなかったんです。まあアメリカに行っても治る可能性が高いというだけで確証があったわけではありません。ずいぶんと悩みました。自分の力不足が死に追いやる結果にならないかとね。だから彼女が亡くなった後、自分で決めたんです。もう二度と金で揺さぶられる生き方はしないとね。

アタックは、投与後ひどい吐き気をもよおすんですね。ほとんど側《そば》にいたんですが、最後のアタックの時、半日、用があって一人にさせたことがありました。帰ってくると堰《せき》を切ったように大粒の涙を流してすがりついてきました。不安だったのでしょう。それが唯一見せた涙でした。可哀相なことをしたと思いました。

＊＊＊

亡くなった日も雨が降っていました。

同じ日に銀座で、その頃世間を騒がしていた男が逮捕され、東京が騒然としていましたね。人が死ぬ時はいろんなことが起こりますし、見聞しなくともいいものにも遭います。丁度、仲人の御夫婦が鎌倉から見えていたので、私も冷静でいることができました。同じ病気で苦しんでいる人のためにと解剖を申し込まれました。その間に私は病室に戻って主《あるじ》のいなくなったベッドに初めて横になってみました。私や、世界がどんなふうに彼女の目に見えていたのだろうかと思いましてね。すると正面の壁に真っ白な四角が浮かんでいたんです。入院中そこに画家の矢吹申彦《のぶひこ》さんから病室が淋しいだろうからといただいた絵が掛けてあったんです。そこだけ日焼けせずに四角に残っていたんです。壁がこの白の時は笑っていたのだと。二百九日間の時間が、この真っ白な四角なのだと思いました。さぞ辛かったろうとあらためて思いました。

亡くなった後、私は故郷に帰りました。

少しずつ衰弱して死んだわけではありません。唐突に訪れた死でしたから、やはり私も動揺していました。故郷に戻ってしばらくして、そこで私はこれまで想像もしなかったことを経験しました。それまで私は弟の海難死、野球部の友の死など親しい者の死を経験して、生死が何たるかをわかっているつもりでしたが、故郷に戻ってしばらくした或る夜、突然、現状のことも、これから先のことも何もかもどうしたらいいのかわからなくなったんですね。

私は放埒《ほうらつ》な暮らしはしていましたが自分ではひとつのことにのめり込んで気がおかしくなったり、何かを狂ったようにやることはなかったんです。バランスを取ることはできていたんですが、それが……。〝途方に暮れる〟という言葉がありますが、言葉は知っていても、途方に暮れるとはどういう精神状態かわからなかったんです。父の気質を受け継いでいる面があったのか、喧嘩や諍《いさか》い事に平気で首を突っ込み、何とか切り抜けてきたものですから、どんなこともきちんと対処すれば解決すると思っていたんです。ところがその夜、自分で自分を含めた世界が訳がわからなくなってしまったんです。

甘えと言えば甘えでしょうが、すべてが訳がわからなくなり、生きること死ぬことがどうでもよくなってしまったんです。〝途方に暮れる〟という状況でした。彼女の入院中に御巣鷹山の事故があり、彼女と親しい宝塚出身の女性が亡くなりましたが、それさえもどこかで他人の死としてしか捉えられなかったんです。

途方に暮れてしまってからはよく覚えていませんが周囲は皆ひどく心配したようです。救ってくれたのは肉親であり、恩師や友人、後輩であり、もうひとつは酒ですね。眠むれない状況は酒が救ってくれました。アルコール依存症にはなりましたが、これも先輩が救ってくれました。自分は何もしてないんですね。すべて自分以外の人の助けというか、慈愛のようなものに抱かれていたのでしょう。

この状況を切り抜けられたというか、何とか生き延びてきたら、少しずつ自分がかわった気がします。人間は己でどうしようもできないことが一生で起こり得るし、そうなった人を見守ることは使命というか人間は当り前に手を差しのべるのだと思うようになりました。

故郷に戻って、後輩の野球部の指導をしたりしましたが、日々やっていたことはギャンブルと酒でした。これに時間と体力の大半を使っていました。金もそうです。よくあれだけの金を賭け、その借金ができたものだと感心します。先述したように金に対して憤りもあったのでしょう。しかし今でもその時のツケを払っています。この頃は小遊び程度で、それに使う気力、体力があれば小説に使いたいという心境です。予期しなかった心境です。

彼女の死後、七回忌が終ってから、今の妻に出逢いました。思わぬことで再婚しましたが、同じ女優というので戸惑いもありました。けどこちらが恨まれることはどうでもいいと思いました。彼女も一人でさまざまなことを切り抜けてきていたのでしょう。よく面倒を見てもらっています。

＊＊＊

この文章も、書こうと思うんだがと相談すると、いいんじゃありませんか、の一言でした。十数年前に仙台で大きな地震があった時、彼女はせっせと赤十字に毛布を運んでいました。そういう女性なんですね。信仰心（キリスト教）の篤い人ですからね。ヨハネ・パウロ二世の故郷のクラクフ（ポーランド）やアウシュヴィッツも彼女の希望でともに旅しました。

これまで雅子に関して執筆の依頼がたくさんありましたが、再婚した時、今の妻である博子のご両親に、雅子のことはいっさい取材も受けませんと話しました。心配でしょうし。それにこれまでお断りしたのは特別な理由があったわけではなく、冷静に文章を書けなかったのが本当のところです。今回も手こずりました。まとまらないんですね。

人間の死というものは残ったものに大きなものを与えます。特に親しい人の死はどこかに自分の力が足らずに死なせてしまったと悔んでる人は多いはずです。私もずっとその気持ちは消えません。それに親しい人の死は思わぬ時によみがえって人を狼狽《ろうばい》させます。死んでしまっているのだから片付いてもよさそうですが、死ですら片付かないのですから困ったものです。六十歳を過ぎて仕事中心の暮らしになってつまらぬ生き方になったと深夜思うこともあります。けどいつかどこかで狂ったように大遊びをしてやろうとは思っているんです。わかったような生き方はつまらないですからね。そのためにヘソクリをためているんですが、ヘソクリ程度の現金《タマ》じゃ、大遊びにはなりませんでしょうね。

親しい方を亡くされて戸惑っている方は多いでしょう。私の経験では、時間が解決してくれます。だから生き続ける。そうすれば亡くなった人の笑顔を見る時が必ずきます。最後に、数年前に観た映画でのチェチェンの老婆のせりふを紹介します。

「あなたはまだ若いから知らないでしょうが、哀しみにも終りがあるのよ」

【著者略歴】

◉1950年山口県防府市生まれ。72年立教大学文学部卒業。

◉81年短編小説『皐月』でデビュー。91年『乳房』で第12回吉川英治文学新人賞、92年『受け月』で第107回直木賞、94年『機関車先生』で第7回柴田錬三郎賞、2002年『ごろごろ』で第36回吉川英治文学賞をそれぞれ受賞。

◉作詞家として『ギンギラギンにさりげなく』『愚か者』などを手がけている。

◉主な著書に『白秋』『アフリカの王(上・下)』『あづま橋』『海峡』『春雷』『岬へ』『美の旅人』『少年譜』『羊の目』『スコアブック』『志賀越みち』『お父やんとオジさん』『浅草のおんな』『ホーム オブ ゴルフ』。

初出 「週刊現代」2009年7月18日号～2011年1月15・22日号
単行本化にあたり抜粋、修正をしました。

N.D.C. 914.6　190p　18cm
ISBN978-4-06-216942-4

# 大人《おとな》の流儀《りゅうぎ》

二〇一一年　三　月一八日第　一　刷発行
二〇二三年一二月一二日第三四刷発行

著　者　伊集院静《いじゅういんしずか》　©Ijuin Shizuka 2011

発行者　髙橋明男
発行所　株式会社講談社
東京都文京区音羽二丁目一二―二一　郵便番号一一二―八〇〇一
電　話　編集　〇三―五三九五―三四三八
販売　〇三―五三九五―四四一五
業務　〇三―五三九五―三六一五
印刷所　TOPPAN株式会社
製本所　大口製本印刷株式会社
定価はカバーに表示してあります　Printed in Japan